VERS LA SOBRIÉTÉ HEUREUSE

ISBN 978-2-330-02659-2

PIERRE RABHI

VERS LA SOBRIÉTÉ HEUREUSE

BABEL

Désormais, la plus haute, la plus belle performance que devra réaliser l'humanité sera de répondre à ses besoins vitaux avec les moyens les plus simples et les plus sains. Cultiver son jardin ou s'adonner à n'importe quelle activité créatrice d'autonomie sera considéré comme un acte politique, un acte de légitime résistance à la dépendance et à l'asservissement de la personne humaine.

P. R.

AVANT-PROPOS

Depuis quarante-cinq ans j'ai engagé ma vie, avec le soutien et la connivence de Michèle et de notre famille, dans la voie de la sobriété. Je préfère par conséquent, plutôt que de me perdre dans des considérations ou des théories générales, témoigner des réflexions, des décisions, des initiatives que, chemin faisant, ce choix délibéré m'a inspirées. Ainsi, le principe "faire ce que l'on dit et dire ce que l'on fait" donnera un peu de cohérence et, je l'espère, de crédibilité à mon modeste témoignage. Celui-ci n'a d'autre ambition que de contribuer à une réflexion propre à éclairer des décisions qui ne pourront sans cesse être ajournées sans préjudice grave dans l'avenir immédiat, et plus encore à moyen et long terme. Cependant, quelle que soit la manière dont on aborde la modération en tant que nécessité incontournable, une certitude demeure : les limites qu'impose – par sa constitution même – la planète Terre rendent irréaliste et absurde le principe de croissance économique infinie. Irréaliste, si l'on applique les outils les plus élémentaires d'analyse, sur le plan tant physique que biologique, à l'organisation de la vie en tant que phénomène ; absurde, dès lors que l'on recourt à la simple logique d'une pensée libre de toute manipulation. Le système dominant, qui se targue de grandes performances, s'emploie surtout, en réalité, à dissimuler son inefficacité, qu'un simple bilan, notamment énergétique, mettrait en évidence. Cet examen révélerait également les contradictions internes d'un modèle qui ne peut produire sans détruire et porte donc en lui-même les germes de sa propre destruction. Le temps semble venu d'instaurer une politique de civilisation fondée sur la puissance de la sobriété. Un chantier exaltant s'ouvre, invitant chacune et chacun à atteindre la plus haute performance créatrice qui soit : satisfaire à nos besoins vitaux avec les moyens les plus simples et les plus sains. Cette option libératrice constitue un acte politique, un acte de résistance à ce qui, sous prétexte de progrès, ruine la planète en aliénant la personne humaine. Et c'est la beauté de la nature, de la vie, et de l'œuvre de l'homme dans sa dimension créatrice, qui devra nous inspirer tout au long des voies nouvelles que nous emprunterons.

LES SEMENCES DE LA RÉBELLION

LE CHANT DU FORGERON

Un homme simple, habitant une petite oasis du Sud algérien, chaque jour vaque à ses occupations de père nourricier. Il ouvre la porte de son atelier de forge, allume le feu et, le jour durant, va travailler le métal. Il entretient les outils aratoires des cultivateurs, répare les modestes objets du quotidien. Ce petit Vulcain du désert fait toute la journée chanter l'enclume, un apprenti tirant sur la corde du soufflet de la forge pour attiser les flammes. Des étincelles incandescentes jaillissent du marteau de l'artisan en une nuée d'étoiles fugaces et, tout à son ouvrage, il est comme absent au monde.

Un enfant silencieux le regarde et l'admire, en est fier, immensément. De temps en temps, l'homme au visage volontaire, ascétique et ruisselant de sueur s'arrête, accueille ses clients, répond à leurs sollicitations. Parfois, un groupe d'hommes se constitue spontanément devant l'atelier. On échange, on boit du thé, on plaisante, on rit, on devise aussi sur des questions graves, accroupi sur une natte en fibres de palme.

Non loin de l'atelier est une place carrée, assez vaste, entourée de boutiques – épiciers, bouchers, marchands de tissus, etc. –, ainsi que d'ateliers de tailleurs, cordonniers, menuisiers, petits orfèvres… Tous les jours, des chansons s'échappent des ateliers comme des condiments de sérénité, pour se répandre dans l'atmosphère tiède ou suffocante, selon les saisons. Du côté ouest se trouve un espace nu, ouvert, dévolu au marché. Une sorte de caravansérail sans murs où s'entremêlent des dromadaires blatérant, des moutons, des chèvres, des ânes et des chevaux, dégageant des odeurs fortes. Des nomades silencieux vont et viennent ; d'autres demeurent accroupis adossés à des sacs de toile rude, repus de céréales ; des fagots de bois sec ouvrent l'imagination au grand désert où ils furent glanés. Des dattes compactées pour la conservation et parfois, en saison, des truffes du désert s'offrent à qui veut les acquérir. Tout cela produit une sorte de tumulte feutré, ponctué par les voix aiguës des marchands interpellant les clients. Parfois, des conteurs ou des acrobates proposent à un public fasciné, faisant cercle autour d'eux, leurs prouesses et leurs rêves. La cité tout entière est parcourue de venelles ombreuses entre des maisons de terre ocre imbriquées les unes dans les autres, surmontées de leurs terrasses, entourant un minaret blanc à l'allure de vigie scrutant les quatre horizons. De cette masse de glaise émergent ici ou là des palmiers. Certains font office de parasols, ombrageant les jardins potagers dans une contrée où le soleil darde des rayons brûlants comme des tisons. Hors de la cité, ce n'est que désert de sable et de rocaille, contenu derrière une montagne qui s'étend d'un horizon à l'autre, comme un rempart infini. Au sein du désert inhospitalier, la vie a une saveur de miracle.

L'ambiance est à la frugalité. La misère extrême touche peu les gens de cette culture de l'aumône et de l'hospitalité, sans cesse rappelées comme devoirs majeurs par les préceptes de l'islam. Les saisons et les constellations rythment le temps. La présence du mausolée, tutélaire et séculaire, du fondateur de la cité, qui toute sa vie a enseigné la non-violence, instaure depuis longtemps un climat de spiritualité propice à l'apaisement, à la concorde.

La cité tranquille n'est cependant pas un éden. Ici comme ailleurs, les humains sont affligés de tourments ; le meilleur et le pire cohabitent. Aux valeurs conviviales se mêlent les dissensions, les jalousies, une condition des femmes qui souvent blesse la raison et le cœur. Une tempérance obstinée tente cependant, et en dépit de tout, d'entretenir la paix. Une sorte de joie omniprésente surmonte la précarité, saisit tous les prétextes pour se manifester en des fêtes improvisées. Ici, l'existence s'éprouve d'une manière tangible. La moindre gorgée d'eau, la moindre bouchée de nourriture donne à la vie, sur fond de patience toujours renouvelée, une réelle saveur. On est prompt à la satisfaction et à la gratitude dès lors que l'essentiel est assuré, comme si chaque jour vécu était déjà un privilège, un sursis. La mort est familière, mais elle n'est pas tragédie. Ses prélèvements d'enfants sont souvent cruels, mais la conviction selon laquelle le Créateur, pour préserver leur innocence, les soustrait aux turpitudes du monde par une sorte de privilège allège le chagrin. La mort est l'intendante d'une finitude à laquelle chacun est préparé. Elle est évidence et n'a cure du rang social, du prestige ou de la richesse. Elle vaque à son magistère, imprévisible, et remet les âmes à Dieu quand celui-ci le décide. La résignation à ce qui est écrit est propice à l'apaisement, car le destin est le jouet de causes contre lesquelles la volonté humaine est impuissante. Mais rien ne peut advenir sans la volonté de Dieu.

C'est au sein de ce monde complexe que le forgeron fait tous les jours chanter l'enclume. Il est lui-même chanteur, poète, et fait offrande de son art. Soutenant sa voix d'un instrument à cordes, il provoque la jubilation de nombreux auditeurs en liesse, proches souvent d'une transe partagée, sous une voûte céleste presque invariablement constellée d'étoiles, à l'éclat incomparable. Si ce monde entre songe et poésie n'était pas exempt de ses tourments, c'était un fruit longuement maturé sur l'arbre du destin. Comme en d'autres lieux du monde, les humains y ont tenté l'harmonie, sans parfaitement y parvenir, la perfection n'étant pas leur apanage.

LA FIN D'UN MONDE SÉCULAIRE

Et puis, insidieusement, lentement, tout s'est mis à basculer au sein de ce monde séculaire. Le forgeron s'attriste. Il est soucieux, absorbé par d'étranges pensées. Il ne rentre plus chez lui au crépuscule tel un chasseur libre, parfois bredouille, mais le plus souvent chargé d'un panier rebondi d'une provende qu'il ne doit qu'à son mérite, à son talent et à son courage, ainsi qu'à la bienveillance divine, pour que vive sa famille. Pour le forgeron, le labeur commence dangereusement à manquer. Les occupants français ont découvert de la houille et proposent à tous les hommes valides un travail salarié. Toute la cité est bouleversée. C'en est fini du temps savouré comme de l'éternité. L'heure a sonné de celui des horloges et des montres, jusque-là inconnu, a sonné, avec ses minutes, ses secondes... Ce temps nouveau a pour dessein d'abolir toute "perte de temps" et, au royaume du songe tranquille, l'indolence est tenue pour de la paresse. A présent il faut être sérieux, besogner beaucoup. Chaque matin, une lampe à acétylène à la main, il faut s'abîmer dans les entrailles obscures de la terre pour en exhumer une matière noire recelant un feu endormi depuis un temps immémorial, comme dans l'attente d'un réveil qui lui permettra de changer l'ordre du monde. Chaque soir, les hommes sortent le visage souillé de l'étrange termitière où ils furent consignés le jour durant. On a peine à les reconnaître tant que les ablutions n'ont pas libéré leur visage du masque sombre de houille et de poussière qui le recouvre. Un cerne noir s'obstine autour des yeux, emblème de la nouvelle confrérie des mineurs. La montre-bracelet orne de plus en plus de poignets ; pour aller plus vite, les bicyclettes se multiplient ; l'argent s'insinue dans toutes les ramifications de la communauté. Les traditions ont un parfum de suranné, de révolu. Il faut à présent se mettre à l'heure de la civilisation nouvelle.

Le forgeron, tel le maître Cornille d'Alphonse Daudet souffrant pour l'honneur bafoué de son moulin à vent – respiration du bon Dieu –, concurrencé par les moulins à vapeur – invention du diable –, résiste tant qu'il le peut à ces bouleversements. Il doit cependant se rendre à l'évidence : les clients se font rares, et nourrir sa famille tient désormais du miracle. Il ne lui reste qu'à devenir lui-même un termite… Il doit à ses aptitudes naturelles d'être affecté à la conduite d'un locotracteur, halant une longue chenille de wagons remplis de la matière magique, essentiellement destinée à être exportée en France. Les grands trains aux puissantes locomotives emporteront comme un larcin la matière noire. C'est ainsi que le Progrès a fait irruption dans cet ordre séculaire.

L'enfant est bouleversé de voir le forgeron revenir chaque soir, comme tous les autres, souillé. L'idole est comme profanée. L'atelier est devenu une coquille silencieuse derrière sa porte désormais close sur les souvenirs au goût désuet d'un temps, immémorial, si brusquement révolu. L'enclume ne chante plus. La civilisation est là, avec certains de ses attributs, sa complexité et son immense pouvoir de séduction, sans qu'il puisse la comprendre et encore moins l'expliquer.

Le lecteur aura sans doute compris que le forgeron, poète et musicien tant admiré par l'enfant n'est autre que mon propre père, et que l'enfant n'est autre que moi-même.

LE SILENCE DE L'ENCLUME

La servitude de son père inflige à l'enfant une étrange blessure. Toute la population sent que quelque chose d'important advient insidieusement, sans savoir vraiment quoi. L'ère du travail en tant que raison d'être a pour corollaire l'immodération appelée par l'argent et les nouvelles choses à acheter. Comme en un dernier sursaut de liberté, sitôt leur premier salaire perçu, certains mineurs ne retournaient pas au travail. Quand ils réapparaissaient après un mois ou deux, les employeurs, mécontents, leur demandaient pourquoi ils n'étaient pas revenus travailler plus tôt. Ils répondaient alors avec candeur qu'ils n'avaient pas fini de dépenser leur argent : pourquoi donc travailleraient-ils ? Sans en être conscients, ils posaient une question qui a été soigneusement évitée, mais que d'aucuns considèrent aujourd'hui comme essentielle, et à laquelle il faudra bien répondre en ces temps de grand chambardement qui obligent à reconsidérer la condition humaine : travaillons-nous pour vivre, ou vivons-nous pour travailler ? Quant aux naïfs indisciplinés, on imagine bien que la Compagnie des houillères leur a remis les pendules à l'heure.

Je devais quant à moi comprendre bien plus tard qu'à ce forgeron la modernité arrogante et totalitaire avait infligé, comme à d'innombrables êtres humains au Nord comme au Sud, une sorte d'oblitération par la négation de son identité et de sa personne. Pire encore : elle a réduit, sous prétexte de l'améliorer, la condition de tous à une forme moderne d'esclavage, non seulement en produisant du capital financier sans aucun souci d'équité, mais en instaurant, du simple fait de prendre l'argent comme mesure de la richesse, la pire inégalité planétaire qui soit.

L'exploitation et l'asservissement de l'homme par l'homme et de la femme par l'homme ont toujours été une perversion, une sorte de fatalité conférant à l'histoire humaine la laideur que l'on sait ; mais, à la différence de cette perversion pour ainsi dire spontanée, la modernité, avec les révolutions censées y mettre fin, l'a perpétuée sous la bannière des plus belles proclamations morales : démocratie, liberté, égalité, fraternité, droits de l'homme, abolition des privilèges… Peut-être l'intention fut-elle sincère ; mais, hélas, force est de reconnaître que les tentatives les plus obstinées pour instaurer un ordre équitable ont été mises en échec par la nature profonde de l'être humain.

L'enclume n'a jamais résonné en moi aussi fort que par son silence ; un silence irrévocable, comme s'il était inscrit sur une partition inachevée dont il aurait interrompu à jamais la mélodie. Plus tard, je devais me rendre compte que ce silence m'avait inoculé le germe d'une rébellion qui a fini par éclore à la fin des années cinquante. J'avais alors vingt ans, et la modernité m'est apparue comme une immense imposture.

LA DÉSILLUSION

A la fin des années cinquante, j'étais ouvrier spécialisé d'une entreprise de la région parisienne. Mes camarades, que j'ai aimés et estimés, étaient convaincus que le monde moderne réservait un avenir quasi radieux à leurs enfants ; cela donnait un sens à leur besogne. Arc-boutés sur cette croyance, certains devenaient des sortes de missionnaires, bien que l'ambiance fût pour l'essentiel à l'athéisme et à une laïcité fortement affirmée : les effluves de la doctrine marxiste dans lesquels ils baignaient leur servant d'antidote à toute velléité spirituelle, ils avaient un contentieux très profond avec toute forme de croyance religieuse et dénonçaient la "trahison" de l'Eglise, bien plus proche, selon eux, du capital que du prolétariat. C'est dans le progrès qu'ils avaient foi, progrès auquel ils vouaient une sorte de culte, allant jusqu'au sacrifice de leur personne. Ils disaient : "Nous en bavons, mais c'est pour que nos enfants aient une vie meilleure. Grâce à l'instruction qui nous a manqué, ils vivront loin du cambouis, auront des mains propres et lisses. Ils nous vengeront de la servitude et des mains calleuses."

Le regret de n'être pas instruits leur donnait le sentiment de faire partie, avec les paysans, de la caste la plus basse ; il en est ainsi dans toute société qui promeut un élitisme par l'intellect.

C'était le temps des Trente Glorieuses, et il y avait de quoi s'illusionner : la machine économique fonctionnait à plein rendement, alimentée par les ressources abondantes et pratiquement gratuites du tiers-monde. En ce temps-là, comme on sait, sur une société censée nager dans la félicité planait un climat moral désabusé, probablement dû à la surabondance. "La France s'ennuie", lisait-on parfois dans la presse. Contrairement à aujourd'hui, la jeunesse avait un avenir assuré. Elle ressentait néanmoins un étrange malaise, comme si les excès de l'avoir abolissaient les besoins de l'être, la société de consommation créant simultanément besoins et frustrations. Le consommateur est à l'évidence le rouage d'une machine qui produit toujours plus, afin que l'on consomme toujours plus. Maniant l'aiguillon crétinisant d'une publicité omniprésente, elle joue avec le consommateur et s'en joue, telle une courtisane usant de ses charmes trompeurs, lui promettant des jouissances toujours plus extatiques.

Face à ce traquenard insidieux, il y eut le sursaut de Mai 68 contre la société de consommation. Parmi les mobiles très complexes de ce soulèvement, on peut en retenir un qui est à rapprocher du propos de cet ouvrage, à savoir un désir, exprimé ou sous-jacent, de modération. Surabondance et bonheur ne vont pas forcément de pair ; parfois même, ils deviennent antinomiques. Il est probable que cette jeunesse, au-delà des idéologies alors florissantes, aujourd'hui obsolètes, auxquelles elle se référait, pressentait – comme je l'avais ressenti dix ans auparavant, mais dans l'indifférence, voire la méfiance, à l'encontre des idéologies, avec leurs préceptes, dogmes, credo, etc. – la confiscation de sa propre créativité par une société matériellement trop sécurisante, et pétrifiée dans un fait accompli à caractère, semblait-il, irréversible. Cette jeunesse aspirait probablement à un destin auquel le risque, l'inconnu donnent sens et saveur. La vie n'est une belle aventure que lorsqu'elle est jalonnée de petits ou grands défis à surmonter, qui entretiennent la vigilance, suscitent la créativité, stimulent l'imagination et, pour tout dire, déclenchent l'enthousiasme, à savoir le divin en nous. La joie de vivre est une valeur suprême à laquelle nous aspirons tous, mais que des milliards de dollars ne peuvent offrir. Elle est une sorte de privilège, le fait d'un prince mystérieux qui l'octroie à la chaumière et peut, à son gré, la refuser au palais le plus somptueux.

Comment, pour tout dire, ne pas douter d'une civilisation qui a fait de la cravate le nœud coulant symbolique de la strangulation quotidienne ? Cet ornement ne serait-il pas en fait une laisse tenue par la fameuse *main invisible*, qui procure une sensation de libération lorsqu'elle est reléguée à la fin d'une journée dont elle a marqué la rigueur laborieuse ? De même, la sémantique révèle bien des vérités cachées : que penser des expressions comme matériel humain, compression de personnel, ressources humaines, statut, cadre ? Toutes ces observations ne sont-elles pas révélatrices d'une vérité fondamentale, à savoir le caractère dérisoire de cet être humain pris dans la société de l'argent-finance, une fois intégré un système de valeurs fondé sur l'excellence, la compétitivité, et ce, dès la phase d'apprentissage de la vie, et promouvant toutes les vanités attachées à la réussite sociale ? Celle-ci n'est pourtant pas garante d'une vie pleinement réussie.

Ce réquisitoire n'est pas dressé contre les individus, mais contre la doctrine même. La modernité qui nous a été imposée est dénuée des valeurs généreuses dont elle se targue, comme pour mieux les trahir… L'état du monde, de la nature et du genre humain témoigne de ce caractère fallacieux.

LE DÉCLIN DU MONDE PAYSAN

Depuis la nuit des temps, les peuples ont chanté leur terre mère et composé des poèmes en son honneur. S'accompagnant des instruments propres à leurs diverses cultures, ils faisaient l'éloge de leur pays, rendaient hommage à son hospitalité, sa beauté, ou même à sa rudesse, son austérité.

J'ai souvent vu, durant mon enfance saharienne, des gens se préparer au voyage. Après s'être prosternés, ils serraient dans une bourse de cuir une poignée de terre ou de sable prélevée sur le lieu de leur naissance et de celle de leurs aïeux. Cette bourse, fixée à la ceinture au plus près du corps, devenait aussitôt un talisman destiné à les accompagner dans leur périple, et leur donnait ainsi le sentiment d'être, partout où ils se trouvaient, reliés à la terre patrie. Ainsi l'espace concret dans lequel se déroule la longue cérémonie de la vie transcendait, en le chargeant d'humanité, celui du simple géographe. Dans la mesure où le temps était de nature cosmique, et l'espace sacré, l'être humain se trouvait profondément intégré au réel, en ce sens qu'il inscrivait dans le monde une réalité à sa mesure et à celle des nécessités imposées par l'existence.

A ce propos me revient une anecdote lue dans un des ouvrages de l'écrivain grec Nikos Kazantzakis, dépeignant l'exil des Crétois fuyant la violence des Turcs. Dans le pathétique exode en quête d'un refuge, un vieillard ploie sous un sac. De bonnes âmes proposent de l'aider, mais il refuse obstinément. On apprendra finalement que le précieux sac contenait les ossements des ancêtres du vieillard. Contraint à la fuite sans certitude de retour, il a pris soin d'exhumer ces reliques pour pouvoir en ensemencer la terre qui voudrait bien l'accueillir. On l'aura compris, cet ensemencement avait pour objet de rétablir le lien rompu avec les ancêtres, et *in fine* d'alléger le drame de l'exil... Appartenir à une terre est un impératif vital pour tous les peuples. C'est ce que j'ai essayé, avec difficulté, de faire comprendre à un coopérant américain sur les terres sahéliennes. Celui-ci déplorait que les femmes fussent obligées de faire deux kilomètres pour puiser de l'eau pour le village. Méconnaissant le rapport aux ancêtres, il proposait, en bonne logique, de construire un nouveau village proche de l'eau...

LE DRAME DE L'EXIL

La modernité a inventé toutes sortes d'exils. L'enlisement dans les tranchées durant le massacre de 1914-1918 en fut un. Je suis toujours blessé et indigné lorsque je songe au sort réservé aux intendants de la terre. L'apothéose de la cruauté à leur égard a consisté à faire se génocider mutuellement les paysans allemands et français, pour des raisons beaucoup plus perverses que la simple défense de la patrie. Ce fut là l'occasion de tester les inventions technologiques les plus abjectes mises au service de la destruction et de la mort. Il n'est pas un village de France ni d'Allemagne qui n'ait payé son tribut de sang à une cause mal définie, ou plutôt trop bien définie pour être crédible. Et ne parlons pas des nombreux innocents, issus des territoires coloniaux, qui ont contribué à irriguer de leur sang les terres meurtries de l'Europe. Certains soldats, même européens, ne supportant pas le déracinement et l'exil étaient affectés, dit-on, d'une nostalgie du village natal si aiguë qu'ils en mouraient. Il n'y a rien de plus pathétique que les lettres que les soldats, au front et dans les tranchées, adressaient à leurs familles, à leurs amours. Dans ces missives inspirées par l'horreur se concentrent les éléments les plus essentiels à la compréhension de la condition humaine : la souffrance physique, psychique, le désespoir, l'espoir, la peur de la finitude, etc. A n'en pas douter, la modernité, présumée apporter la civilisation à l'humanité, donne l'exemple de la barbarie lorsqu'elle est poussée dans ses retranchements.

Ces horreurs sont désormais réintégrées dans la normalité, et même magnifiées, à l'occasion des commémorations et cérémonies d'un souvenir sans mémoire : l'humanité reste friande de rituels archaïques au sein même de sociétés qui prétendent s'en être affranchies par la raison. Il faut être singulièrement hypocrite pour ne pas reconnaître que cet holocauste n'eut d'autre mobile que les intérêts de coteries occultes dont la mission ici-bas est de vouer le génie humain au meurtre de masse. Non seulement cette dérive est toujours d'actualité, mais elle a pris une telle ampleur qu'on ne peut plus l'appréhender du seul point de vue de la raison. Elle est en quelque sorte d'essence métaphysique, car elle prend forme dans la conscience et l'imaginaire profond de l'espèce humaine. Ne disait-on pas, avec un cynisme inégalable, que rien ne vaut "une bonne guerre" pour relancer l'économie ?

Ce fut également le besoin de main-d'œuvre pour l'industrie qui a suscité la migration massive des populations rurales vers les pôles industriels, provoquant le démantèlement des structures sociales traditionnelles séculaires en Europe. C'est en effet à l'énergie physique des paysans que la révolution industrielle doit son essor. Contrairement à la mobilisation sur les champs de bataille, elle leur proposait un but apparemment positif : échapper aux conditions pénibles et aléatoires qu'impose la glèbe pour la certitude et le confort matériel d'un salaire régulier. La "servitude volontaire" était alors perçue comme délivrance, à grand renfort d'une propagande exaltant le progrès. Après bien des efforts visant à réduire le contentieux quasi permanent entre la puissance du capital et celle de la force de travail, la révolution industrielle, qui s'est faite au prix du pillage de la planète, est parvenue à convaincre tout un chacun de sa pertinence et de ses bienfaits. Elle a, dans le même temps, occulté ce sur quoi reposent les bienfaits en question.

Aujourd'hui, c'est le désenchantement, la fin des illusions pour un nombre grandissant de citoyens des nations dites prospères. Ce long processus d'aliénation débouche à présent sur un double exil : l'être humain n'est plus ni relié à un véritable corps social, ni enraciné dans un territoire. La mobilité est devenue une condition *sine qua non* pour conserver un emploi. A la culture vivante s'est substitué l'encyclopédisme, un amas de connaissances et d'informations dignes des jeux télévisés, qui ne construisent rien d'autre que des abstractions et ne procurent pas une identité culturelle originale, reliée à quoi que ce soit de pérenne. Tout est de plus en plus provisoire et éphémère au cœur d'une frénésie en évolution exponentielle, transformant les humains en électrons hyperactifs, produisant et subissant un stress dont on sait qu'il est à l'origine de graves pathologies.

L'ALIÉNATION DU MONDE RURAL

Force est de constater aujourd'hui que le monde rural n'a pas échappé aux illusions et aux dégâts de la modernité. Dès notre retour à la terre en 1961, ce constat a infligé à ma naïveté une énorme déconvenue. Je pensais qu'en tournant le dos au monde urbain j'allais m'éloigner de l'obsession productiviste. Hélas, je compris très vite que celle-ci était tout aussi virulente à la campagne. L'endoctrinement a été si fort que mes jeunes camarades de la maison familiale rurale au sein de laquelle, déjà père de famille, j'essayais d'acquérir quelques bases de l'agriculture étaient dans une transe irrépressible. La quasi-totalité de leurs conversations tournaient autour des prouesses de l'agrochimie qui leur étaient enseignées, des tonnages miraculeux de denrées qu'elles permettaient d'arracher au sol. Ils comparaient les résultats de telle ou telle substance fertilisante, de tel ou tel pesticide appliqué à tel ravageur ou à tel champignon pathogène, etc. Leurs propos prenaient une tonalité guerrière. Les firmes produisant les substances dites phytosanitaires donnaient le ton : la présentation des produits, avec leurs étiquettes à emblème de tête de mort et d'os croisés, promouvait un sentiment belliqueux à l'égard du vivant. Mais le dieu qui dominait, déterminait tout, méritait les plus grands éloges, demeurait le tracteur. Symbole de puissance, emblème du progrès technique nimbé de tous les fantasmes, celui qui avec ses chevaux-vapeur allait abolir le cheval animal, symbole d'un temps révolu, permettait à ces jeunes descendants d'une longue lignée de laboureurs aux pieds nus de se mettre en règle avec la modernité. Ce besoin étant d'autant plus impératif que le paysan était, depuis longtemps, considéré comme un attardé du progrès. Et lui-même avait intériorisé l'image dévalorisante du serf les pieds dans la glèbe.

Après cette première immersion en quelque sorte initiatique, nous voici donc installés en famille dans l'espace rural, au sein de la frénésie du toujours plus de production agricole encouragée par la politique agricole commune organisée au sein de l'Europe. Un tel dispositif se justifiait pleinement au sortir de la guerre, période où il fallait compenser les énormes déficits alimentaires, en même temps que réparer les dommages de guerre. C'est le branle-bas de combat : les subventions à la production sont destinées à encourager la ferveur au travail ; les fermes de polyculture et d'élevage cèdent la place aux exploitations agricoles en monoculture ; les prêts du Crédit agricole pour les équipements de toute nature sont facilement accessibles, et très avantageux ; la production s'accroît avec l'agrandissement des parcelles, le remembrement, l'équipement mécanique de plus en plus puissant, l'usage massif d'engrais, de pesticides et de semences sélectionnées…

Il me paraît inutile d'insister sur toutes ces questions, que j'ai déjà abondamment développées dans d'autres ouvrages. L'épopée agronomique de l'Occident s'achève sur la disparition des paysans en tant qu'intendants millénaires de la terre nourricière. Ils ont, sans en être conscients, participé à la croissance aveugle et au règne de l'immodération dont nous déplorons à présent la virulence. Le plus tragique est que cet intendant manipulé, conditionné par l'idéologie du lucre omnipotent, a détruit, et continue de le faire, le bien commun et vital qu'il a toujours eu pour mission d'entretenir et de transmettre à la postérité. Cela impliquait une gestion "en bon père de famille", selon l'expression traditionnelle qui figure sur les baux ruraux. Or, le souci de préservation du patrimoine a, comme on sait, été banni de toute transaction.

Par ailleurs, la concurrence internationale et la loi du marché ont fait se détruire économiquement entre eux jusqu'aux paysans les plus pauvres. La faim dans le monde, que le système de production moderne devait éradiquer, a au contraire été aggravée par des mécanismes inspirés par l'avidité. Plaise au ciel que les paysans rescapés de la destruction physique et économique comprennent qu'il leur faut à tout prix, pour leur salut, considérer les structures fermières à taille humaine et à production diversifiée comme autant de bastions contre les pieuvres du profit sans âme ni limites. Le lien avec la terre nourricière fondé sur la modération et le respect sera garant non seulement de leur survie, mais aussi de leur dignité. Je rêve souvent à l'avènement d'un nouveau paysan gouvernant sa petite ferme comme un souverain libre en son petit royaume. La conjoncture économique étant défaillante, la crise financière sera sans doute ce qui va permettre d'identifier les vraies richesses. Elle devrait en toute logique inciter la gouvernance du monde à remettre en question le modèle de société tout entier. Après en avoir tiré tous les avantages possibles, avoir produit des enrichissements honteux grâce à leur labeur, la logique du profit est en train d'affamer les paysans en attendant de les éliminer de la surface de la Terre.

LA MODERNITÉ,
UNE IMPOSTURE ?

La modernité sera ici souvent évoquée pour en faire, non pas un éloge de plus, mais une critique radicale. Le réquisitoire dont j'assume la responsabilité ne peut qu'être de plus en plus sévère au fur et à mesure que la lumière se fait sur l'ampleur des effets pernicieux imputables à ce qui est probablement l'idéologie la plus hypocrite de l'histoire humaine. Les motifs de la rébellion suscitée par le silence de l'enclume n'ont cessé de grandir et de s'imposer à mesure que le décryptage des objectifs et des mythes fondateurs du monde contemporain en révélait la spécificité au regard du passé. Il serait cependant injuste et absurde de nier certaines avancées de la modernité dans les domaines politique, technologique, médical, etc. Mais les acquis positifs, au lieu de venir enrichir les acquis antérieurs, en ont fait table rase, comme si le génie de l'humanité n'avait été avant nous qu'obscurantisme, ignorance et superstition. C'est à cette arrogance totalitaire que nous devons l'uniformisation et la standardisation du monde d'un pôle à l'autre.

LE PROGRÈS : ENTRE MYTHE ET RÉALITÉ

La technologie et les nombreuses innovations qui fascinent le monde actuel, sous la bannière d'un progrès pour tous qui se révèle n'être qu'un mythe, ne sont que les avatars d'un principe de nature quasi métaphysique. On découvre notamment, derrière les apparences séduisantes d'une ère censée libérer l'espèce humaine, une idéologie fondée sur la célébration d'un démiurge occidental autoproclamé, un être qui s'est voulu l'égal des dieux de l'Olympe par la seule puissance de la raison, dont la Grèce antique déclarait et chantait déjà la suprématie. Ce postulat, renforcé par des théories matérialistes péremptoires, a réduit à la portion congrue, et même, avec le matérialisme intégral, évacué de la nouvelle pensée née sur le terreau occidental ce qu'on appelle la spiritualité. Conséquence de présupposés métaphysiques érigeant l'homme en roi, la subordination de la nature fut déclarée, et le principe d'une planète ravalée au rang de gisement de ressources à exploiter définitivement établi comme norme. Une pensée libre de tout conditionnement qui se représenterait les conséquences désastreuses que cette norme allait provoquer sur les fondements de la vie pourrait légitimement se demander si la nature n'aurait pas fait advenir l'humain à seule fin d'en être meurtrie. Comment admettre une hypothèse aussi absurde? Il n'en reste pas moins vrai qu'en s'attribuant le statut de prince de la création le démiurge a consenti à ses pulsions prédatrices un champ qui n'a d'autres limites que celles de la planète tout entière.

Toutefois, pour ne pas accabler la seule modernité, il faut rappeler que le pillage et le dépeçage de notre sphère terrestre, et de sa toison vitale représentée par les forêts, sont déjà une conséquence majeure du passage des civilisations dites primitives aux civilisations dites élaborées*.

Coupé de l'intelligence de la vie, dont chacune et chacun de nous est une des créations, l'intégrisme de la pure raison a édifié et structuré un monde parallèle aujourd'hui en grande déconfiture. Ce choix a eu pour autre conséquence le piège universel dans lequel le monde contemporain est à l'évidence tombé, sans vraiment savoir comment en sortir. Dans le microcosme de notre vie quotidienne, nous pouvons tous constater les restrictions et les dépendances toujours accrues que nous impose la vie moderne.

Depuis deux ou trois siècles, la modernité a nié et éradiqué tout ce qui n'était pas conforme au mode de pensée d'inspiration minérale qu'elle a instauré. J'entends par "pensée minérale" celle que le positivisme radical a produite et qui exclut toute référence à la subjectivité, à la sensibilité, à l'intuition.

* Lire *La Planète au pillage* de Fairfield Osborn (1949 ; Babel n° 931).

Elle semble percevoir la réalité d'une manière fragmentée et mécaniste, appelant une prolifération de spécialistes, ce qui est contraire à la vision unitaire et interdépendante qui est celle de l'écologie. A l'instar de toute croyance, par définition fondée sur une conviction considérée comme évidence absolue, cette pensée, caractérisée par un prosélytisme acharné, a tenté d'universaliser la rationalité, seule en mesure d'appréhender la réalité sans risque d'erreur. Elle s'est ainsi employée, sans y réussir tout à fait, à dépouiller les peuples de leurs convictions et expériences acquises par des voies subjectives, qui, du point de vue d'un scientisme tyrannique, ne seraient qu'obscurantisme et superstition.

Mais le délit suprême imputable à cette pensée régressive est d'avoir livré la beauté, la majesté de la vie et l'être humain lui-même à la vulgarité de la finance, et d'avoir instauré par son entremise un ordre universel dont ce que nous appelons la crise financière est l'un des effets ; comment ne pas être saisi d'une rage douloureuse à voir profaner la vie par l'ignorance? C'est sous l'inspiration d'une rationalité sans âme que s'est construit le monde actuel. Il est comme dépoétisé, propice à l'ennui et au désabusement. La concentration urbaine, qui ne cesse d'augmenter, semble restreindre l'espace de créativité tangible, au profit d'une extension, d'une prolifération considérables de concepts non validés par l'épreuve ou l'expérience, abstractions se révélant souvent chimériques. Dans le même temps, aujourd'hui, l'aspiration à plus de sens, à plus de bonheur de vivre dans la légèreté, ne cesse de gagner du terrain. On peut dire, sans optimisme excessif, mais en se fondant sur la seule observation des faits, qu'une pensée nouvelle provoquée par l'échec de Prométhée est en train de naître avec la prise en compte de réalités écologiques et sociales de plus en plus dramatiques.

J'ai fait l'expérience de trois années de travail en usine, aux côtés d'hommes et de femmes venus de toutes les provinces de France, ou issus de l'immigration. Dans ce microcosme besogneux, l'aliénation de nos personnes à un travail sans intérêt, voire nocif, était sidérante. Seul antidote à cette situation : c'était un monde où s'épanouissaient les qualités d'attention à l'autre, de cœur et de fraternité. A propos d'aliénation, est-il besoin de rappeler que le travail à la chaîne prôné par M. Taylor a fait de l'être humain un rouage biologique réduit à une gestuelle répétitive jusqu'à l'abrutissement ? Est-il nécessaire d'évoquer la condition des mineurs de fond aux poumons silicosés, arrachant au sous-sol minerais et combustibles pour alimenter les hauts fourneaux ? La liste est longue. Alors, comment concilier cette servitude banalisée avec les proclamations humanistes ? Etant moi-même intégré en tant que magasinier dans ce microcosme laborieux, tout de contraintes, j'ai eu amplement l'occasion d'en éprouver l'atmosphère, et ce qu'il induisait sur les hommes qui le formaient. Si j'essaie aujourd'hui de me le représenter, c'est l'image de la pyramide qui s'impose à mon esprit. Une pyramide d'inspiration hiérarchique, quasi militaire, avec des êtres humains importants en haut, cumulant tout le positif

– bons salaires, considération, autorité… – et tous les avantages qui en découlent ; et, en bas de la pyramide, des humains cumulant le négatif – rémunération et habitat médiocres… Entre les deux se trouvent des échelons qu'il faut gravir et se garder de dévaler. Ils sont la voie de l'évolution et de l'excellence, telle qu'elle a été préalablement tracée par le système éducatif en vigueur. Je me souviens en particulier d'un atelier de peinture carrément insalubre, où de pauvres gens engageaient, au-delà de leurs compétences et de leur force de travail, leur patrimoine santé tout entier pour mériter de survivre d'un maigre salaire ; dans cette ruche humaine d'un genre particulier, le travail était exalté comme une grande vertu, mise au service d'une productivité en état de perpétuel emballement. Un tel scénario est au cœur du précepte intangible de la croissance économique illimitée, toute transgression ou remise en question de ce principe étant jusqu'à aujourd'hui considérée comme un schisme, qui en d'autres temps eût été digne du bûcher.

En examinant objectivement la condition imposée aux humains sous le prétexte d'un progrès proclamé haut et fort comme libérateur, je ne pouvais malgré moi m'empêcher de ressentir le caractère carcéral du système – une variante de culture hors sol appliquée à l'humain. J'évoque assez souvent cette question dans mes conférences ; j'y attire l'attention du public sur l'itinéraire des êtres humains au sein de la modernité : de la maternelle jusqu'à l'université, ils vivent un enfermement. Le vocabulaire que nous employons au quotidien en est, sans que nous en ayons conscience, représentatif : certains d'entre nous se rendent dans des casernes, pendant que d'autres travaillent dans de petites ou de grandes "boîtes". Même pour nous divertir, nous allons "en boîte", et comment ? dans nos "caisses", bien sûr ! Il y a même les "boîtes à vieux", avant que notre itinéraire ne s'achève, lui aussi, dans les boîtes ultimes, en un repos que rien ne peut plus troubler. Qu'ils en soient conscients ou non, tout est exigu dans la vie des citadins, à commencer par l'absence d'horizon. La télévision, avec ses images témoignant de la vastitude du monde, se charge de nous le faire un instant oublier… Cet univers quasi carcéral atteint son apothéose avec la prolifération des clés, serrures, codes d'entrée, caméras de surveillance, etc. Un tel climat de prévention, de suspicion ne peut évidemment produire que des toxines sociales exacerbant un sentiment d'insécurité, en créant de véritables barricades, intérieures et extérieures. Mais il est une claustration encore plus inquiétante par son caractère insidieux et pernicieux. Elle concerne directement la psyché humaine, et passe par le déploiement exponentiel des outils électroniques, informatiques, télématiques, etc. Leur influence est telle qu'on a l'impression qu'ils façonnent à leur usage, avec une efficacité extraordinaire, les nouvelles générations. L'écrit, l'un des moyens séculaires de communication, cède la place à l'écran. Celui-ci ne servirait-il pas à connecter vaille que vaille les solitudes d'une société en mal de lien social, chaleureux ou non ? La modernité ne serait-elle pas en train de gagner, insidieusement mais sûrement, la bataille de l'aliénation définitive de la personne, en la rendant dépendante des outils prétendant la libérer ? N'est-ce pas aussi un moyen de cloner et de standardiser – comme on peut déjà le constater en voyageant – les esprits à l'échelle universelle ? Nos expériences antérieures nous incitent à tout imaginer. Nous savons que le cerveau individuel n'aurait pu évoluer sans connexion au cerveau collectif ; or, celui-ci ne serait-il pas, dans la nébuleuse informatique, réduit à une sorte de composant électronique biologique recevant et émettant des informations, sans conscience nette des conséquences induites pour l'évolution générale de l'espèce humaine ? Croire que le cerveau humain, sans une claire conscience des conséquences induites sur l'évolution générale de l'espèce humaine, puisse à terme sortir indemne du transfert des fonctions extraordinairement complexes et subtiles qu'il a acquises depuis son avènement vers des machines perfectionnées est illusoire. En créant des outils de l'invisible, aurait-il pour finalité de s'abolir lui-même ? Question plus sérieuse qu'on n'imagine. Même un outil moins complexe tel que la voiture intègre le chauffeur comme un composant biologique dans la complexité des organes qui lui permettent de se mouvoir. La sensation de liberté et de puissance ressentie par le chauffeur présuppose la subordination du véhicule aux règles établies par lui, et c'est ce que la moindre panne mécanique ou de carburant met en évidence.

La sobriété ne devrait-elle pas aussi s'appliquer à la tendance actuelle à faire croire que l'accès, partout et à tout moment, à toute information est gage de liberté? Par ailleurs, l'information que l'opinion peut tenir comme absolument incontestable peut être aussi la pire désinformation. Tous les simulacres, toutes les mystifications étant possibles, il y a lieu de s'inquiéter sur le sort du "vrai", qui se trouve être l'un des fondements d'une société éclairée. Nous voyons aujourd'hui naître une sorte d'hypermarché de l'information, où tout et son contraire cohabitent ; mensonges et démentis sont à la portée de chacun. De nombreux ouvrages sont le fruit de simples compilations de données puisées dans l'immense réservoir des faits et des événements, que chacun interprète à sa façon. Dans l'océan complexe des turpitudes et des vertus, l'honnête citoyen aura de plus en plus de difficultés à se faire une opinion. Perdu dans le labyrinthe des "pour" et des "contre", des "pro" et des "anti", et après avoir hurlé "où est l'issue?", "où est la vérité?" et "qu'est-ce que la vérité?", il pourra toujours et à tout moment avoir recours à l'apaisement que procure le silence. Ah! le silence... Quelle merveille! Faire de temps en temps une bonne diète de l'information, comme un jeûne purificateur, est probablement un acte de sobriété des plus bénéfiques.

Nous sommes ici dans un dilemme qu'il faudra clarifier. Comment ne pas voir dans cette nébuleuse équivoque apparaître un nouveau pouvoir : celui de l'indiscrétion légalisée, qui s'insinue jusqu'aux lieux les plus confidentiels et les plus intimes de notre existence? Le temps ne serait-il pas venu de sortir d'une fascination mortelle, assez proche d'un ensorcellement, pour admirer ce que la vie nous offre de vivant et renouer avec la sensibilité et l'intuition afin d'appréhender le message tangible de la réalité ? Aucun outil ne peut entamer notre intégrité s'il est maîtrisé par une conscience éveillée. La modération est certainement l'un des moyens qui peuvent permettre au génie humain d'être vraiment au service de l'humain et du vivant. Il est évident que jamais, de toute l'histoire, il n'y eut un ordre aussi générateur de dépendance que la modernité. La prolifération des outils semble, en fait, avoir pour seul but de nous rendre la frénésie supportable, alors qu'il serait impératif de la remettre en question comme l'anomalie majeure qu'elle est. Le temps ne serait-il pas venu d'instaurer graduellement une existence où les rythmes et les cadences, les outils et les moyens seraient maîtrisés par une conscience individuelle et collective enfin libérée des illusions ? A cela aussi, la sobriété peut contribuer.

LA SUBORDINATION AU LUCRE

La modernité, dans son principe premier et ses intentions originelles, aurait pu, en s'appuyant sur la révolution industrielle, être une chance pour l'humanité. Mais elle a commis une erreur fatale, dont nous commençons seulement à mesurer les conséquences désastreuses avec la grande crise d'aujourd'hui : elle a subordonné le destin collectif, la beauté et la noblesse de la planète Terre dans sa globalité à la vulgarité de la finance. Dès lors, le sort en a été jeté. Tout ce qui n'a pas un prix n'a pas de valeur. L'argent, invention destinée à rationaliser le troc, noble représentation de l'effort, de l'imagination, de la créativité, de la matière utile à la vie, a été dénaturé par celui que l'on "gagne en dormant". Ces considérations sont aujourd'hui banales ; cependant, les effets de la finance ne sont pas réductibles aux doctes analyses des Prix Nobel d'une pseudo-économie. Car il faut rappeler que ce qu'on appelle "économie" consiste en un système qui, par son caractère dissipateur et destructeur, en est précisément la négation – un véritable outrage à l'économie.

On ne peut que constater, encore une fois, la capacité de la sémantique à abuser les esprits, à entretenir savamment les malentendus. Pour un esprit naïf, dans un tel contexte, l'économie est cet art magnifique dont la raison d'être est de gérer et de réguler les échanges et la répartition des ressources, avec le minimum de dissipation et pour le bien de tous, en évitant les dépenses inutiles, excessives, qui porteraient atteinte au patrimoine vital ; l'avarice comme le gaspillage lui sont contraires. Dans son principe, l'économie a été depuis les origines indissociable de l'existence humaine. L'écureuil, devenu le symbole que l'on sait, la fourmi besogneuse qui refuse un prêt à la cigale trop désinvolte et l'abeille qui engrange de quoi survivre aux temps difficiles font de l'épargne, et non de la spéculation. L'être humain, lui, semble être le seul à avoir introduit la dissipation dans une réalité régie par un principe formulé par "rien ne se crée, rien ne se perd, tout se transforme".

Lors d'une émission télévisée, on demandait à un homme devenu très riche s'il ne se sentait pas prédateur ; invoquant la lutte des espèces pour survivre, il prétendit appliquer simplement la règle établie par la vie. Cette question absolument fondamentale a été éludée : il aurait fallu remontrer à ce monsieur que la prédation humaine n'est pas de même nature que la prédation des espèces animales. Quand un lion mange une antilope, il se contente de cette offrande de la vie. Il n'a ni banque ni entrepôt d'antilopes. C'est pourquoi l'on peut voir sur certaines photographies le lion s'abreuver à côté du zèbre, de l'antilope ou de toute autre espèce dont il est le prédateur ; dès lors que la nécessité de s'alimenter ne se fait pas sentir, ils peuvent boire à la même mare, même s'il arrive que certains prédateurs saisissent cette occasion, qui facilite leur prédation.

Bien éloigné de la réalité élémentaire, fondée sur la survie et la perpétuation de l'espèce, l'être humain est pris au piège de ses fantasmes. Il donne à des métaux ou à des pierreries une valeur symbolique exorbitante et en fait des objets d'enrichissement pour ceux qui en possèdent. Voyant déferler les hordes de conquérants européens en quête frénétique d'or, source de violences et de meurtres, certains Peaux-Rouges croyaient véritablement que ce métal rendait fou, et se gardaient bien d'y toucher pour ne pas être atteints par la démence qu'il provoque. Je suis souvent émerveillé par la puissante capacité qu'a la candeur à mettre en évidence des vérités profondes. Oui, l'or a rendu l'humanité folle. Et c'est un crève-cœur que de constater le pouvoir subliminal de ce qui après tout n'est que du métal.

On peut alors objectivement se demander pourquoi tant d'irrationalité devait affecter de façon aussi tragique toute l'histoire – et si des pierres luisantes telles que le diamant méritent le sacrifice de toute une vie de mineurs consignés dans les entrailles de la terre, ce afin que des belles puissent, sous les lustres vaniteux des grandes réceptions, les exhiber et ainsi affirmer leur appartenance à la caste des nantis. Ce qui ne les met du reste pas pour autant à l'abri de tous les tourments de la vie. On peut même parfois constater, au sein des castes triomphantes imbues de leurs pseudo-richesses, des détresses morales qui éveillent la compassion dès que les oripeaux des apparences sont balayés par un regard sans illusions.

La liste serait longue de tous les superflus qui ont précipité l'histoire dans les pires convulsions, au détriment du nécessaire. Même l'outil contemporain somme toute banal qu'est la voiture, qui a une utilité éminemment pratique – permettre de se déplacer –, est de surcroît chargé de représentations fantasmatiques : liberté, puissance, évasion, bonheur, érotisme, etc. La publicité n'est pas en reste pour inventer, afin de pousser à l'achat, des manipulations subliminales qui, quoique légales, sont dignes des techniques sectaires. Et, comme pour intensifier la jouissance que procure la consommation, elle conseille de s'y adonner, en la matière, "sans modération".

L'immodération semble ainsi être fille de la subjectivité humaine, quête d'une sorte de dépassement de la banalité du quotidien, en ouvrant un champ illimité aux désirs toujours renouvelés, toujours inassouvis et concurrentiels, l'essentiel étant de susciter l'envie de ses semblables par l'apparence que l'on offre. Faire envie est un élément important dans le processus mimétique mis en œuvre afin de stimuler le désir. Mais il est parfois des désirs inaccessibles, faute des moyens nécessaires pour les combler. Cela engendre des frustrations, mais peut aussi puissamment stimuler la volonté de les acquérir, ce qui bénéficie à la dynamique de l'immodération. Comparaison et mimétisme deviennent alors des facteurs de souffrance, tandis qu'un esprit de modération peut triompher de l'envie et instaurer en nous un bien-être profond, que l'objet de notre convoitise ne peut nous offrir.

Les cultures traditionnelles, régulées par la modération qui y est une attitude naturelle et spontanée ("nous appartenons à la Terre"), font place aux civilisations de l'outrance ("la Terre nous appartient"), responsables de leur propre éradication. Ce phénomène historique, advenu avec la modernité, peut s'appuyer sur les prodiges de l'efficacité technologique pour s'exacerber et accélérer le processus de sa finitude. Le paradigme de la combustion énergétique a instauré un ordre inédit sur l'ensemble de la sphère terrestre ; la perception du temps et de l'espace s'en est trouvée profondément modifiée. La technologie dote ses inventeurs et ceux qui en bénéficient d'un pouvoir inégalé depuis les origines ; mais comme l'évolution de la conscience n'est pas suffisante pour maîtriser et orienter les innovations à des fins constructives, le danger de grandes dérives ne cesse de se préciser.

Ainsi l'homme démiurge est-il grisé par la puissance de la pure raison, ce qui lui permet de transgresser les règles et limites naturelles établies depuis les origines. Cette nature avec laquelle l'homme originel cherche l'harmonie, l'homme prométhéen s'est employé à la subordonner, à la dominer, à l'exploiter selon son bon vouloir. La légende du roi Midas qui, d'après la mythologie, transformait en or tout ce qu'il touchait convient bien à l'esprit du temps. Mais l'or ne se mange pas.

On est ainsi passé d'une civilisation agraire et pastorale à l'exaltation de la matière minérale, qui a provoqué, comme nous en faisons aujourd'hui le constat dramatique, de grands dommages sur la biosphère vivante. Le passage du cheval animal au cheval-vapeur a considérablement augmenté la prépondérance de l'Occident sur les autres peuples. Enfin, un équipement militaire perfectionné a permis une hégémonie sans précédent ; cela se traduit en particulier par l'annexion de territoires et leur confiscation à leurs légitimes occupants.

L'exode conquérant des Européens a également installé un ordre mondial provoquant le fameux clivage Nord/Sud et ses gigantesques disparités, en érigeant une divinité tutélaire absolue, que l'on appelle finance. Le citoyen sans salaire et sans ressource perd toute réalité sociale ; il est réduit à l'état d'indicateur du niveau minimal de la prospérité nationale. Cette "fonction" est si bien intégrée dans la banalité du paysage social que l'indignation que cette situation devrait susciter s'en trouve neutralisée. Dorénavant, c'est à l'aide sociale procurée par l'Etat, les organisations caritatives ou la société civile qu'il devra la prolongation d'une présence au monde qui peut difficilement être considérée comme une vie. Cet ectoplasme souffrant procure aux citoyens mieux pourvus l'agréable sensation de jouir d'un karma positif. La société fragmentée, cloisonnée, déstructurée, devenue de plus en plus anxiogène, sécrète dans le même temps les anxiolytiques qui permettent de supporter une réalité quotidienne que la raison et le cœur ne peuvent logiquement que récuser.

Ainsi, l'être humain affligé d'une sorte de "lucropathie" affectant sa psyché est avant tout habité par un mythe fondateur. Il est possédé par ce qu'il croit posséder. Les économistes, avec leurs chiffres, leurs équations et leurs ratios, peuvent rendre intelligibles les mécanismes d'un phénomène apparemment rationnel, mais ils occultent le paramètre le plus déterminant, à savoir que la finance est une croyance d'essence quasi métaphysique, ancrée au plus profond de la subjectivité humaine. De ce lieu inexpugnable, elle devient hantise dévorante, divinité tutélaire, joue à son gré de l'espoir et du désespoir, domine les Etats, donne cette sensation vaniteuse de puissance qui sert probablement d'antidote à la peur de l'insignifiance et de la finitude d'une vie humaine qui devient dérisoire lorsqu'elle ne se relie pas à la somptuosité du monde. Comment, sans cela, comprendre l'emprise d'un tel phénomène sur toute réalité ? Matière sonnante et trébuchante à l'origine, l'argent-finance s'est transformé en un fluide, un esprit qui souffle où il veut, attisant toutes les frustrations dans le seul dessein de perpétuer son magistère. C'est pour lui complaire que l'on fabrique des armes qui déshonorent le génie de notre espèce et que l'on installe sur la planète un ordre anthropophage appelé "mondialisation".

LE BOULEVERSEMENT DES REPÈRES UNIVERSELS

Il est évident que la modernité, avec le temps-argent, a rompu avec les cadences millénaires que les êtres humains avaient imprimées au temps. En réalité, celui-ci n'existerait pas sans le sentiment et la perception que nous en avons. Il serait en quelque sorte une illusion qui donnerait à nos vies une mesure intelligible ; en dehors de cette sensation, il n'y aurait que de l'éternité, du non-temps en quelque sorte.

Le monde moderne a profondément modifié des paramètres éternels et universels qui, avant la révolution industrielle, permettaient en anthropologie d'avoir une grille de référence applicable à l'ensemble de l'espèce humaine. Toutes les ethnies s'inscrivaient dans une réalité terrestre, cosmique et temporelle. Seule la perception de cette réalité pouvait différer d'un groupe à l'autre. A cela, il faut ajouter ce qui a trait au questionnement sur la vie, la mort, l'amour, la souffrance – tout ce qui est relatif à la métaphysique. L'anthropologie a considérablement progressé dans le déchiffrage du phénomène humain, mais beaucoup reste à faire. Il suffit de s'examiner soi-même pour constater combien il est difficile de faire la connaissance de soi. Nous aborderons donc ces choses avec humilité, mais dans le souci de participer, autant que nous le pourrons, à l'indispensable humanisation qui est la finalité sans laquelle notre avènement sur terre n'aurait pas de sens.

Dans la quasi-totalité des traditions, le temps ne semble pas avoir de configuration particulière. Il est comme immobile, et le destin humain y inscrit ses cycles, naissances, morts, filiations. Après le "non-temps" des primitifs, les civilisations agraires ont probablement instauré une perception plus tangible du temps, les périodes d'intervention et de repos étant, sous nos latitudes du moins, rigoureusement déterminées par les saisons. Ce temps est de nature cosmique. Pour les hommes des origines, qui n'ont cure des anniversaires et autres mesures de la durée, il semble que ce n'est pas le temps qui passe mais nous qui passons pour aller vers un ailleurs pressenti, mais tout aussi réel que l'ici-bas. Pour la modernité, c'est bien le temps qui passe, surtout depuis qu'il est indexé sur l'argent. Par conséquent, il ne doit pas être perdu mais toujours gagné, ce qui a instauré la frénésie comme mode d'existence collective. Il est fragmenté en heures, minutes, secondes, sous la vigilance des horloges, des montres, des chronomètres… Le dieu Cronos doit être lui-même déconcerté par une hystérie qu'il n'avait sans doute pas imaginée. Dans les jeux du stade, une fraction de seconde a le pouvoir de donner ou de confisquer la victoire au sportif ; son visage convulsé par l'effort extrême qu'il sollicite de son pauvre corps témoigne du caractère obsessionnel qu'induit la règle du jeu. Cette frénésie, pathologie collective à laquelle on ne veut ou ne peut renoncer comme à une anomalie manifeste, inspire, pour mieux en être servie, la création d'outils de déplacement et de communication rapides. Les rythmes sont frénétiques, le manque de temps permanent. C'est une machine qui harcèle le citoyen et distille en lui une insidieuse anxiété, le tétanisant, infligeant raideur et douleur à un corps sans cesse malmené par ses desideratas quotidiens : du haut au bas de la hiérarchie sociale, ce ne sont qu'êtres dont la vie est, jusqu'à son terme, dévolue à la productivité. Le ratio de déchets produits par un tel système témoigne de l'irrationalité de ce qui se veut rationnel.

De plus, avec les outils informatiques, la notion de temps prend aujourd'hui une tournure imprévisible, mais décisive. Ils permettent d'accéder instantanément à n'importe quelle information dans le monde, de communiquer avec des interlocuteurs très éloignés. Ils font partie de ces moyens magiques qui réduisent le temps et l'espace au point de les abolir. Entre un temps fondé sur les cycles cosmiques éternels et celui d'une civilisation hors sol hystérique s'est constituée une bulle temporelle. De nature paradoxale, elle impose l'avènement d'un temps psychologique ressenti comme réductible ou extensible à l'infini, échappant aux références habituelles. On y est "dévarié", comme diraient les paysans ardéchois. Et pourtant, les battements de notre cœur, le rythme de notre respiration ou de notre circulation sanguine nous rappellent sans cesse que nous sommes reliés à l'horloge cosmique, et non aux bielles de nos moteurs à explosion.

En fin de compte, les outils conçus pour gagner du temps, mis au service d'une efficacité productive à laquelle on ne fixe pas de limites, perdent leur finalité.

"Les Occidentaux inventent des outils pour gagner du temps et sont obligés de travailler jour et nuit", me disaient des amis du tiers-monde.

On peut poser la question de savoir si le temps virtuel, qui devient chaque jour davantage la matrice de l'existence de l'homme moderne, ne risque pas, avec le déphasage qu'il provoque, de porter atteinte à la nature profonde de l'être humain. Je demandais un jour à des amis si leur fils étudiant était chez eux. Ils m'ont répondu qu'il était en effet chez eux, sans l'être vraiment... J'ai fini par comprendre qu'il était physiquement sous leur toit, mais que, son esprit étant entièrement accaparé par le clavier, la souris et l'écran, il était en fait très loin d'eux. Il était grisé jusqu'à l'envoûtement par ces outils prodigieux. Il s'était rallié à une confrérie de fantômes d'un nouveau genre, avec lesquels il entretenait le dialogue qu'il n'arrivait pas à établir avec sa famille. Mais comme le repas virtuel n'a pas encore été inventé, sa présence furtive à table était le seul moment convivial qu'il lui concédait.

Confondre communication et relation serait extrêmement préjudiciable à la reconquête d'un temps réel, convivial et solidaire, dont des êtres de plus en plus nombreux ressentent la nécessité vitale. Un lien social tangible dans la sphère de vie de chacune et de chacun de nous ne peut être aboli sans un immense préjudice. Les outils de la communication, de la commande à distance et de l'information auront toujours une grande mémoire, mais jamais de souvenirs. Renforcent-ils les liens sociaux, ou ne font-ils que connecter les solitudes ? L'internet a incontestablement l'avantage de libérer l'information des censures arbitraires des pouvoirs. Il peut alors participer à la constitution d'une belle sphère de conscience planétaire. Mais il est aussi "inter-pas-net" du tout car il peut véhiculer, propager et mutualiser toutes les turpitudes du monde… Comme tous les outils inventés par le genre humain, il peut servir au pire ou au meilleur, selon l'évolution de la conscience qui en fait usage.

Il est par ailleurs inquiétant d'observer que, dans de nombreux cas, les outils perfectionnés imposent aux humains d'adapter leur mode d'existence à leurs exigences fonctionnelles. Par l'extension constante de leur espace d'influence, nos innovations technologiques ne risquent-elles pas de nous confisquer notre capacité d'agir aussi avec des moyens simples, maîtrisables et durables ? Ces instruments complexes supposés servir la communauté humaine sont en réalité en train de l'asservir… Ivan Illich a bien mis en évidence ce qu'il appelle le "retournement des outils". Ceux-ci, par leur complexité, échappent au contrôle de l'usager et nécessitent des intervenants de plus en plus spécialisés pour les réparer. Qui aujourd'hui peut comprendre et dépanner un ordinateur, un téléphone portable, un téléviseur ? Même les voitures, qui naguère comportaient des organes assez simples, sur lesquels on pouvait agir, sont devenues inaccessibles même au bon mécano amateur.

Fondé sur des outils entièrement dépendants des énergies conventionnelles, le monde moderne est à l'évidence – et en dépit des apparences – le plus vulnérable qui ait jamais existé. La disparition des énergies fossiles et électriques, qui tétaniserait tout le système et le rendrait en un instant obsolète, n'est même pas concevable. Ce sont en l'occurrence les communautés non équipées de toutes ces technologies sophistiquées qui échapperaient au désastre. Ces communautés dépendent essentiellement de l'énergie métabolique – le corps humain, la force animale – et de celle des éléments, dont l'écologie moderne préconise la promotion et l'usage. Par ailleurs, la perversion humaine étant sans limites, on sait également que le brouillage et la neutralisation des équipements de communication de l'"ennemi" font partie des recherches militaires stratégiques. On peut aisément imaginer la vulnérabilité d'une nation condamnée à la surdité en même temps qu'à la cécité, tous écrans éteints.

Bien sûr, comme trop souvent, d'aucuns penseront qu'il s'agit là de science-fiction, oubliant que nombre d'hypothèses qui en leur temps avaient été considérées comme totalement échevelées se sont trouvées vérifiées par les faits. La plupart des phénomènes imputables à nos comportements dont nous déplorons aujourd'hui les effets désastreux ont été antérieurement tenus pour impossibles. *Le Meilleur des mondes* de Huxley, par exemple, était perçu lors de sa parution comme un délire irréaliste. Aujourd'hui, nous savons qu'il se situe bien en deçà de la réalité. Semblable déni est probablement dû au fait que les prophéties modernes, s'appuyant sur les seuls critères objectifs, font des projections et des prospectives sur un mode strictement rationnel. Aussi ne prennent-elles pas en compte le facteur essentiel : la subjectivité humaine. Un krach boursier n'est pas le résultat du seul dysfonctionnement de mécanismes financiers ; il est fortement imputable à des paramètres subjectifs tels que la peur, l'avidité, l'ambition…

Il sera toujours impossible de comprendre la marche du monde sans tenir compte de l'irrationalité humaine. Les pires violences, telles les guerres, ont pour mobile les croyances, les nationalismes, les idéologies, des mythes et des symboles plus que des enjeux tangibles, comme les territoires souvent évoqués, qui ne sont que des alibis. Ainsi, exemple parmi tant d'autres, le contentieux israélo-palestinien, si lourd de souffrances et de destructions, n'est pas réductible à une question d'espace. Des considérations symboliques et religieuses handicapent considérablement sa résolution. La technologie, qui fait des prouesses et des miracles, n'a pas encore inventé d'appareil à mesurer l'égoïsme, l'avidité, l'ambition, les peurs, les vertus et les tares. Ces outils permettraient d'intégrer les données les plus décisives dans l'évolution des sociétés. Cela signifie, encore une fois, qu'il est absolument évident que c'est par le changement positif des individus que le monde changera positivement. Il n'y a pas d'autre voie.

Dans la confusion où nous sommes aujourd'hui, il est de plus en plus difficile de savoir à qui imputer les préjudices graves causés à la vie tout entière. C'est comme si la complexité du système avait intégré la conscience, les aptitudes et les pulsions humaines comme de simples éléments constitutifs d'un ordre qui restreint, et même abolit, cet attribut majeur de l'être humain qu'est son libre arbitre. Même ceux qui récusent l'ordre établi sont condamnés à l'entretenir par leurs gestes quotidiens : acheter, s'éclairer, user de l'eau, se servir du téléphone, des ordinateurs et des portables, se déplacer, etc. Je déplore souvent mon impuissance à échapper à une contradiction qui m'amène à polluer l'atmosphère avec ma voiture et les avions que je suis bien obligé d'emprunter pour promouvoir l'écologie, l'agroécologie, etc. Les situations de cohérence entre nos aspirations profondes et nos comportements sont limitées, et nous sommes contraints à composer avec la réalité. Mais il est impératif d'œuvrer pour que les choses évoluent vers la cohérence, et que l'incohérence ne soit plus considérée comme la norme, et encore moins comme une fatalité. Toutes les occasions de nous mettre en cohérence sont à saisir. Il ne faut surtout pas minimiser l'importance et la puissance des petites résolutions qui, loin d'être anodines, contribuent à construire le monde auquel nous sommes de plus en plus nombreux à aspirer ; c'est du moins ainsi que je ressens les choses.

LA SOBRIÉTÉ, UNE SAGESSE ANCESTRALE

Il m'a toujours été difficile de définir, de décrire la sobriété telle que je la ressens depuis de nombreuses années. En faire une option de vie est déjà beaucoup, mais cela est loin d'en révéler la subtilité. Elle peut être considérée comme une posture délibérée pour protester contre la société de surconsommation ; c'est, dans ce cas, une forme de résistance déclarée à la consommation outrancière. Elle peut être justifiée par le besoin de contribuer à l'équité, dans un monde où surabondance et misère cohabitent. Le monde religieux en a fait une vertu, une ascèse. En réalité, c'est un peu tout cela, mais plus que cela. Je n'ai rien trouvé de mieux pour l'exprimer que le petit récit tout à fait véridique qui suit.

UN VILLAGE AFRICAIN

Un village africain au sein d'une région semi-aride, en voie de désertification, que les Arabes ont appelée "Sahel". En terme imagé, cela veut dire "le Rivage", cet immense océan minéral que représente le grand désert saharien. Dans les faits, le pays est, entre grand désert et forêt tropicale, dans une sorte d'agonie, la grande sécheresse des années soixante-dix ayant été terriblement destructrice pour la faune, la flore, les troupeaux et le sol. La précarité omniprésente permet de survivre plus ou moins, mais, parfois, elle se fait carrément misère ; cependant, tout se passe comme si les forces de vie, elles aussi omniprésentes malgré tout, n'avaient pas abdiqué et s'obstinaient encore dans la végétation chétive, dans les animaux malingres vaquant à leur incertaine pitance. Elles sont dans le cœur de ces femmes besogneuses et miraculeusement joyeuses, et de ces hommes comme impuissants, prisonniers d'une indolence millénaire. De temps en temps, de petites rafales d'une brise tiède surgissent d'on ne sait où, font tourbillonner la poussière en un vortex espiègle, parcourant la terre pour se dissiper sans laisser la moindre trace. Sur les champs se dressent les tiges desséchées de mil, de maïs et de sorgho, soulagées de leur manne. La récolte vient d'être achevée.

De jeunes cultivateurs jubilent, envahissent la cour du village, s'installent autour du doyen accroupi sur une nappe, dans ses habits de pauvre, le dos appuyé au mur de sa case en terre ocre. L'homme est beau, non qu'il ait des traits fins, mais parce que son visage fripé, orné d'une barbe blanche, affiche cette extraordinaire sérénité à laquelle la cécité dont il est affligé donne encore plus de profondeur : il vit de silence et de songe. L'homme est en quelque sorte clos sur lui-même. Il est noblesse incarnée agitant de temps en temps un éventail dans la tiédeur et la torpeur d'un temps qui semble immobile. Les jeunes paysans se tiennent dans une déférence et un respect justes face à celui qui va bientôt rejoindre les ancêtres, vivre dans un ailleurs, tout en gardant le lien avec ceux qui vivent dans le monde ordinaire. Après que le vieillard a manifesté qu'il est à l'écoute, qu'il est sorti de son temple secret, l'un des jeunes paysans prend la parole et dit : "Doyen, nous venons t'annoncer une bonne nouvelle. La récolte, cette année, est bonne. La terre a été généreuse grâce à la générosité du ciel, qui l'a abreuvée en suffisance de sa bienveillance. Nous serons tranquilles jusqu'à la prochaine récolte."

Le vieillard manifeste sa joie par un petit cri et dit :

"Ayons gratitude à l'égard de la terre et du ciel qui l'a fécondée. Je me réjouis comme vous."

Après un temps de silence, les jeunes paysans reprennent la parole :

"Nous devons te dire également que la poudre des Blancs, dont nous avons nourri la parcelle à l'est du village, a permis d'obtenir deux fois plus de récolte. Elle fait plus d'effet que le fumier et nous donne espoir."

Le vieillard garde le silence un bon moment, comme plongé dans le songe qui le ramène à sa chapelle intérieure. Les jeunes paysans sont un peu décontenancés par le manque d'enthousiasme du vieillard. Il prend enfin la parole :

"Mes enfants, je ne sais de quoi est faite cette poudre. Mais elle semble agréée de Dieu, pour avoir un pouvoir si bénéfique sur la terre, et par conséquent sur notre propre vie. Nous en aurons également un autre avantage, puisqu'elle permet d'abondantes récoltes, à ce que vous avez constaté : nous pourrons désormais nous contenter de ne cultiver que la moitié de nos parcelles, et peut-être moins que cela, si Dieu le veut. Notre peine sera ainsi allégée. En toutes circonstances, gardons la mesure des choses pour que la satisfaction puisse toujours habiter notre âme. Et si nos besoins sont outrepassés, n'oublions pas ceux qui ne parviennent pas à les satisfaire, car Dieu donne pour que nous donnions."

Cette petite scène relatée à partir d'un fait réel a la saveur d'une leçon magistrale. On ne sait si cette réponse a recueilli l'enthousiasme des jeunes paysans, ou si elle les a dépités. Peut-être ont-ils considéré le vieillard non pas comme un sage, mais comme un homme dépassé, enferré dans une vision attardée à l'ère de la productivité. Celle-ci, lentement, s'insinuera dans les esprits. Elle préparera insidieusement ces communautés paysannes à rejoindre ceux qui ont déjà fait allégeance à la suprématie absolue de l'argent. On connaît la suite de l'histoire. Ces peuples qui étaient autonomes seront conditionnés à travailler pour produire des denrées exportables, au détriment de leur propre survie alimentaire. C'est ainsi qu'ils participeront à faire “rentrer” des devises, sous le prétexte de la modernisation de leur pays. Ils doivent utiliser des apports chimiques pour être performants ; mais ces apports se fabriquent avec du pétrole, matière qu'ils ne produisent pas et qui coûte cher. Les voici donc soumis à la loi du marché, précipités dans l'arène, où règnent les règles implacables de la concurrence : ils seront toujours perdants. La misère s'installe et pousse à l'émigration.

Il n'est pas utile d'insister ici sur ces mécanismes de l'immodération, qui engendrent la misère. Ces hommes seront programmés et deviendront les jouets de stratégies cyniques qui contribueront à les faire passer de la sobriété à la misère, comme l'évoque Rajid Rahnema dans son ouvrage *Quand la misère chasse la pauvreté**. Il s'agit là d'une logique d'une telle complexité que les hommes sont impuissants à la maîtriser, faute d'une éthique rigoureuse, observée pour le bien de tous. La terre, de mère nourricière, devient ainsi pourvoyeuse d'argent, lequel est responsable de la destruction des organisations séculaires et vernaculaires, ainsi que de grandes inégalités sur la planète.

* Actes Sud, 2003 ; Babel n° 660.

Naguère, dans un village africain de deux cents habitants, il était presque impossible de collecter l'équivalent de 150 euros. Comment ces populations pouvaient-elles vivre sans argent? Eh bien, c'est parce que pour eux l'argent n'existait pas, et n'avait pas lieu d'exister! Ils ne vivaient pas de dollars. Le troc, l'échange étaient le mode de régulation des biens de première nécessité, et mériteraient vraiment, eux, des prix Nobel d'économie. De même n'existaient ni sécurité sociale, ni assurance, ni retraite. A cette dernière, les enfants pourvoyaient, selon un principe d'assistance mutuelle directe de génération à génération. Les communautés étaient proches de leur source de vie – ou de survie –, avec leur terre, leur eau, leurs semences, leurs savoirs et savoir-faire. Ils bâtissaient leur maison en autoconstruction – comme on dit aujourd'hui –, avec l'aide de la communauté. Ils répondaient également à leurs besoins immatériels et culturels. Ils constituaient non pas un groupe social aggloméré à la suite de migrations, mais un corps social où chaque individu est à la place où il est utile à lui-même et aux autres. Car la puissance du lien social, sans garantir de relations idéales, abolissait la solitude. L'individu n'était pas identifié par sa seule réalité physique et morale, mais comme une âme au sens le plus fort du terme, comme un futur défunt à l'esprit immortel en un sens très concret : il vivra comme ancêtre. Quoi que l'on puisse penser de ces croyances, elles ont un effet apaisant face à la mort, devenue terrifiante dans le monde moderne.

Pour en revenir à l'objet de ce petit récit, comment interpréter la modération à laquelle le vieil aveugle invite sa communauté, alors que la menace de pénurie est constante ? Cela ne peut être compris en recourant à la simple logique. Il faut croire que quelque chose de subtil, que j'ai observé chez ma propre grand-mère, inspire cette posture qui échappe à notre entendement élémentaire. Quel est le sentiment – ou l'intuition –, surgi de la profondeur d'une sagesse millénaire, qui donne cet esprit de tempérance qui exprime sa beauté par un "cela suffit" ? Et, dans le même temps, fait advenir en nous cette gratitude qui, en s'épanouissant au plus profond de notre être, donne la plénitude de leur valeur à tous les présents de la vie, et à notre présence au monde une légèreté singulière, celle de la sobriété tranquille et heureuse ?

NOUS SOMMES EN 1985

Nous sommes en 1985, dans une salle de conférence en région lyonnaise : une centaine de personnes sont réunies pour débattre sur le thème de l'agroécologie. Je suis chargé de faire part de mon expérience en la matière et des applications de cette méthode dans les pays du tiers-monde, en l'occurrence le Burkina Faso. J'explique que le pays est constitué d'un territoire à peu près égal à la moitié de celui de la France, pour une population, à l'époque, de sept à huit millions d'âmes, dont quatre-vingt-seize pour cent de paysans et un budget national équivalant, toujours à l'époque, à celui de l'Opéra de Paris. Le revenu annuel moyen du paysan était d'environ 40 euros pour une année. Il s'agit bien de l'un des pays dits sous-développés se situant tout en bas de l'échelle d'évaluation de la prospérité des nations, représentée par leur PIB* et leur PNB**. Dans l'assistance se trouve un ami laotien d'une cinquantaine d'années, à qui je demande de bien vouloir nous faire part de ses souvenirs concernant sa communauté au temps

* Produit intérieur brut.

** Produit national brut.

de sa jeunesse. Il s'approche du tableau, trace un schéma simplifié et dit :

"Notre village était constitué d'environ deux cents personnes installées au bord de la rivière au sein de la forêt ; nous cultivions le riz, notre nourriture de base. Chaque famille vivait dans une maison construite solidairement avec des matériaux dont nous disposions sur notre territoire. Elle cultivait son lopin de terre, dont la taille était fonction de la capacité de travail de nos buffles. La récolte assurant notre sécurité alimentaire était stockée dans des greniers disposés le long du chemin du village. La rivière fournissait à chaque famille du poisson comme complément aux céréales, aux fruits et aux légumes. L'entraide, la solidarité et la réciprocité allaient de soi : chaque année, une pêche collective était organisée pour faire des réserves de poisson séché. La communauté prenait en charge les veuves, les orphelins, les vieillards, les handicapés. Les tradipraticiens soignaient les malades, veillaient sur la santé de tous. Un travail artisanal omniprésent répondait à tous les besoins : vêtements, meubles, chaussures, outils... Un bonze veillait à l'harmonie sociale, arbitrait les litiges. Le sentiment général, inspiré par le bouddhisme, était que tout est sacré. Lorsque, juché sur une embarcation au milieu de la rivière, j'étais saisi par une envie pressante d'uriner, il m'était impensable de le faire sans demander pardon à la rivière de la souillure que j'allais lui infliger. Seule ombre au tableau : l'habitude de défricher en permanence pour cultiver, ce qui portait atteinte à l'intégrité du milieu naturel."

(Précisons au passage qu'à ces dernières pratiques un projet d'agroécologie devait mettre fin.) Pour conclure cette évocation, mon ami nous dit :

"Un jour, un expert mandaté par la Banque mondiale séjourna parmi nous pour étudier notre système de vie ; après avoir examiné tous les paramètres, il fit son rapport. Ce rapport, destiné, donc, à la Banque mondiale, avait pour conclusion que cette communauté, certes sympathique, ne pouvait se développer parce qu'elle consacrait trop de temps à des activités improductives."

Ce qu'il faut ici comprendre, c'est que, bien que répondant magnifiquement à tous ses besoins essentiels, elle ne créait pas de richesse financière. C'est ainsi que, dans le langage de la pseudo-économie, on ne vit pas des biens de la terre, mais de dollars : le dollar traduit le niveau de richesse. Il est heureux qu'un nombre important de communautés traditionnelles continuent – mais jusqu'à quand ? – de vivre des vraies richesses. Pour s'être dévoués corps et âme à la puissance du veau d'or, les peuples repus se sont à l'évidence détournés de ces vraies richesses ; mais comment faire entendre cette évidence ? Nous voici donc, avec ces considérations, au cœur de la problématique qui bouleversa toutes les structures sociales traditionnelles, auxquelles il est souvent reproché par la "civilisation" d'annihiler la liberté individuelle par l'obligation de se conformer aux règles du corps social. C'est à l'argent, maître absolu, qu'il revient de décider de ce que sont les richesses, la pauvreté ou la misère.

On imagine que le rapport de l'expert a été remis aux autorités politiques du pays, qui, ayant fait leurs études dans les grandes écoles occidentales, ont été nourries à la mamelle de la modernité, dont ils ont assimilé les préceptes, les dogmes et les credo. Ils considèrent avec consternation, voire une certaine honte, l'"archaïsme" de leur peuple et s'attribuent pour mission de le hausser au niveau de la "vraie" civilisation. Alors se met en route le processus de modernisation, qui poursuit, après l'avoir réalisée en Europe, l'éradication universelle des traditions. Ainsi, la colonisation des esprits va de pair avec la colonisation des territoires. Il ne faut peut-être pas oublier que l'Europe, continent naguère multiculturel, a été le premier théâtre de l'hégémonie de la civilisation nouvelle sur les cultures existantes. Les voyageurs des siècles précédant la révolution industrielle qui parcouraient l'Europe s'étonnaient ou s'enchantaient de la diversité de ses cultures, langues et patois, des habitats, costumes et coutumes, des modes alimentaires, des expressions de l'art, des rites et croyances, etc. Tous ces peuples autonomes n'étaient pas pour autant à l'abri de petits ou grands potentats de méchante nature, qui tiraient de leur labeur des avantages de caste, un clergé se chargeant de prêcher l'acceptation d'un destin voulu par Dieu : lorsque la démocratie et les droits de l'homme se retournent sur leurs pas, force leur est de constater que, jadis, la vie du peuple européen était parfois bien misérable. C'est d'ailleurs pour combattre l'arbitraire et l'exploitation infligés aux peuples que les révolutions adviennent – et installent souvent en place d'autres privilégiés, voire une gouvernance s'appuyant sur de terribles répressions, comme l'histoire en témoigne abondamment.

RIEN NE SE CRÉE,
RIEN NE SE PERD,
TOUT SE TRANSFORME

Ce que nous appelons "économie", je l'ai dit, est précisément la négation de l'économie. Jamais l'humanité n'a été aussi dissipatrice que sous ce prétexte des ressources et des biens nécessaires à sa survie. Le principe d'entropie n'a jamais été aussi triomphant. Or, la nature tout entière nous donne une magnifique leçon d'une économie à laquelle elle doit sa pérennité. Le fameux "rien ne se crée, rien ne se perd, tout se transforme" de Lavoisier met en évidence que la nature n'a pas de poubelles. Elle aurait en quelque sorte horreur du gaspillage, même si, dans le même temps, elle nous déconcerte par ses excès de pollen et de spermatozoïdes, dont un nombre très infime intervient dans la fécondation. Une de ces leçons d'économie m'a été donnée par des paysans chez qui j'ai séjourné avec bonheur dans les Cévennes, qu'un regard mal avisé aurait pu tenir pour des avares. Ils avaient simplement une conscience aiguë de la valeur des choses, du fait de l'effort qu'elles nécessitaient, et aussi, semble-t-il, par une sorte de sentiment de leur nature sacrée. Ils disaient les bénédicités autour de la lourde table familiale et, animés par un sentiment de gratitude, consacraient la précieuse manne d'un signe de croix sur la miche de pain, avant de la rompre pour la partager. Pratique religieuse ? Certes, mais pas seulement. J'ai toujours ressenti la filiation qui rattachait cette pratique au sentiment qui, initialement, était partagé par l'ensemble du genre humain.

LES PAYSANS CÉVENOLS

Ouvrier agricole en Ardèche, j'ai donc eu la chance de partager un peu de ma vie avec des paysans des Cévennes, auxquels je garde, au fond de ma mémoire, un fort attachement et une grande affection. Comment oublier le vieux Froment qui, malgré ses quatre-vingt-cinq ans, ou peut-être à cause de son âge, gardait la cadence ? Tôt levé, un petit-déjeuner frugal, et il m'entraînait vers ses chantiers pour lui servir de manœuvre, pour relever les murs effondrés qui retenaient la terre plantée de vignes. Un peu sourd, la mémoire un peu défaillante, il fut pour moi comme un père spirituel, sans autre enseignement ou précepte qu'un labeur tranquille, où chaque geste évoquait dans sa précision un rituel millénaire. Je n'ai jamais vu, au Nord comme au Sud, courir un authentique paysan, et, s'il est contraint de le faire, il le fait gauchement.

J'ai vu à l'occasion d'une vendange les yeux bleus interloqués du vieux Froment lorsque, se courbant pour ramasser des graines tombées au sol, il s'attira la mauvaise humeur de son gendre, exploitant agricole, qui lui enjoignait d'aller plus vite, car ramasser ces graines était du temps perdu, non rentable. Le ronflement et les odeurs d'échappement du tracteur tirant la remorque à vendange nous rappelaient d'ailleurs que le temps bucolique était révolu. Les travaux des champs allaient désormais rejoindre la transe industrielle. La terre ne devait plus produire de la nourriture, mais cracher de l'argent.

Comment oublier M. et Mme Dubois et leur petite ferme cévenole, perdue en altitude au flanc d'un vallon profond, où le grondement du torrent, plutôt qu'il ne troublait le silence, lui donnait toute sa profondeur ? C'est l'hiver en ces lieux abrupts, au royaume du châtaignier, où, comme disent les autochtones, les chiens doivent s'asseoir pour aboyer. Le temps ici est comme infini. La maison des Dubois semble clouée sur le roc. Je séjourne en ces lieux pour aider M. Dubois dans son travail ; en échange, il m'initie à la vannerie. Tout est simple : chauffage et cuisine au feu de la cheminée, nourriture traditionnelle naturellement équilibrée, saine, énergétique. La nuit tombée, des voisins surgis des ténèbres environnantes arrivent, une bûche de contribution au feu sous le bras, pour veiller ensemble, savourer des châtaignes rôties, deviser autour des flammes, échanger des nouvelles et confectionner des objets en paille de seigle, utiles à la vie quotidienne. Tard dans la nuit, les convives repartis, chacun rejoint sa chambre glaciale, bassine son lit et se glisse entre un matelas de laine bien garni et un gros édredon de plumes, dont l'opulence et la légèreté se conjuguent pour offrir un confort inégalable.

C'est l'une des plus belles expériences de sobriété heureuse au cœur même d'une nation qui, avec ses Trente Glorieuses, exaltait la consommation comme un art d'exister, ce que le malaise de 1968 tentera de remettre en question. Je me souviens aussi de ces artisans qui exerçaient encore leurs métiers en toute tranquillité : les frères Ducros, du village voisin de notre ferme, tonneliers et charrons héritiers d'une tradition séculaire qui, équipés de nouvelles machines, étaient devenus, entre tradition et modernité, des menuisiers amoureux – pour sauvegarder leur honneur – du travail bien fait, capables de prouesses grâce à leur extraordinaire habileté ; ces petits ateliers de mécanique où les ouvriers semblaient constituer une confrérie familiale, et tant d'autres… Avec la modernité, la grande distribution, l'industrie lourde, la centralisation, le transport et les planifications technocratiques, qui se targuent de tant de rationalité, se sont coalisés pour saper les fondements d'un ordre séculaire à échelle humaine, rassemblant tant de talents et offrant de si beaux espaces de créativité, au profit d'un système monstrueux qui nous gère et nous digère sans autre finalité que servir une ploutocratie aveugle, cruelle et stupide. Il est facile pour certains esprits, en invoquant le progrès, de considérer ces évocations comme passéistes. Les impasses dans lesquelles le monde contemporain va de plus en plus se trouver l'obligeront cependant à réhabiliter bon nombre de pratiques du passé. C'est aussi la raison pour laquelle il faut se hâter de préserver sur notre planète tout ce qui est encore à la mesure de l'être humain, avant la fin de l'ère "pétrolithique".

UNE SAGESSE ANCESTRALE

Lorsque j'essaie d'aller au plus profond de cette question de la sobriété s'éveille en moi la sensation que semblent avoir eue les êtres premiers, qui proclamaient que rien ne leur appartenait. Que dire de ces peuples qui, malgré l'abondance, restent modérés ? Le peuple sioux, que j'affectionne particulièrement sans savoir vraiment pourquoi, lors des grandes chasses de buffles abondants, ou même surabondants, n'en prélevait que le nombre qui leur permettait de vivre. Rien des animaux sacrifiés ne doit être dilapidé, tout gaspillage étant prohibé par la morale sacrée, en tant qu'offense à la nature et aux principes qui l'animent. Et la gratitude à l'égard de la prodigalité de la terre allait de soi. Cette sobriété dans l'abondance est une leçon de noblesse. Songeons au magnifique discours de l'Indien Seattle adressé au président des Etats-Unis, qui lui proposait d'acheter le territoire de son peuple ; le message disait notamment :

"Je suis un sauvage, et je ne connais pas d'autre façon de vivre. J'ai vu un millier de bisons pourrissant sur la prairie, abandonnés par l'homme blanc qui les avait abattus d'un train qui passait."

La quasi-totalité des peuples premiers ne tuait pas sans nécessité vitale ; quant à le faire pour se divertir, c'était chose inconcevable, car c'eût été une profanation au sens strict du terme. Cela revenait à outrager gravement les forces de la vie et l'esprit immanent qui les gouverne. Entre rituels de gratitude et cérémonies de propitiation, le genre humain a malgré tout engendré des êtres qui ont fondé leur mode d'existence sur la modération. Tout en les reliant spirituellement au mystère de la vie, cette tempérance leur donna force, légitimité et légèreté. On peut certes trouver, ici ou là, des pratiques qui dérogeaient à cette règle, mais elles sont peu nombreuses.

La liste est longue, en revanche, des comportements qui témoignent de la modération, du respect et de la gratitude qui animaient l'esprit de nos ancêtres, avant que n'advînt la convoitise sans limites à l'égard des magnifiques offrandes de la vie. J'imagine la sensation de liberté que devaient éprouver ces gens-là… Probablement celle de Mohand, petit berger ami de mon enfance à qui toute notre cité confiait ses chèvres et ses moutons, rassemblés au petit matin en un seul troupeau. Il allait par les sentiers, les pieds nus dans des sandales de cuir brut, son bâton en travers des épaules, une chanson toujours aux lèvres, qui se mêlait aux injonctions qu'il adressait aux animaux bêlants, gravissant la grande dune de sable et de rocaille. Envieux jusqu'à la révolte, je contemplais la procession qui, un instant, se détachait sur le ciel bleu avant de se dissiper derrière la montagne, me laissant à mon chagrin. Car, moi, je devais songer à rejoindre l'école, apprendre à lire, à écrire et à compter, pour devenir un savant, comme on ne cessait de me le répéter. Au soleil couchant, le troupeau se profilait de nouveau sur un ciel teinté des rougeurs du crépuscule et dévalait comme un petit torrent les flancs ensablés de la montagne, recueillie dans l'immense silence préparant à la sérénité de la nuit. Les animaux s'égaillaient pour rejoindre leurs étables, et Mohand, sa tâche accomplie, disparaissait par les ruelles, tandis que je devais me consacrer à mes devoirs scolaires. Je ne sais ce qu'est devenu cet ami fleurant le parfum sauvage des pasteurs, à la parole parcimonieuse, au corps vigoureux, et au regard aigu des scrutateurs d'espace… Nos chemins ont divergé. Entre tradition millénaire et modernité, je ne sais lequel de nous deux la vie a favorisé, mais une nostalgie tenace et douloureuse m'a longtemps accompagné sur le chemin de ma vie… Bien souvent, j'ai regretté de n'avoir pas été pasteur libre dans le désert – mais comment déchiffrer ce que la vie attend de nous ? *Mektoub*, c'était écrit.

J'envie encore aujourd'hui mes aïeux nomades, qui parcouraient le désert avec leur troupeau et leurs dromadaires. Gens évanescents, de partout et de nulle part, ils arpentaient, de leur pied souple, le sol pierreux ou les dunes de sable. Ils allaient surgissant ou s'évanouissant derrière les vastes horizons de ce gouffre horizontal que représente le grand désert. La frugalité qu'impose leur mode d'existence faisait d'eux des êtres libres. Transporter du superflu condamne à une pesanteur incompatible avec une itinérance incessante sur des espaces infinis.

Me revient également l'image de ma grand-mère transformant, par je ne sais quelle magie, en festin les plantes du désert, quelques poignées de céréales et le peu de lait que lui donnaient deux chèvres graciles. La demeure n'est qu'une toile vite édifiée sous la voûte céleste, selon les impératifs pastoraux. Tout est simple.

Cependant, la liberté n'est pas désinvolture, car la mort peut en être la sanction. Renoncer au superflu met encore plus en évidence le nécessaire et l'indispensable. Ainsi, malheur au nomade qui, outre la précieuse provende contenue dans les sacs de cuir, oublie la corde et le seau pour puiser l'eau, substance vitale s'il en est en ces contrées torrides, royaumes de la soif. Il faut également de quoi allumer le feu, ainsi que des remèdes d'urgence, en particulier contre le venin des reptiles. Il faut bien sûr savoir se déplacer sans erreur d'orientation, guidé par les constellations et les repères intégrés dans une mémoire transmise de génération en génération et impérativement infaillible. Cette culture commune à tous les peuples nomades sur la planète exalte la puissance de la frugalité, et j'avoue éprouver quelque fierté de cet art de mes ancêtres où force, patience, endurance et légèreté se conjuguent.

Dans ce monde de la frugalité, l'hospitalité, comme chez tant de peuples traditionnels, est une norme morale et spirituelle. De nombreux visiteurs, de retour de certains pays dits "pauvres", témoignent de l'hospitalité que leur ont réservée les habitants. La précarité même de leur condition ne semble pas les dispenser à leurs yeux d'une générosité ouverte à l'étranger. Ils ont pour principe que l'abondance accordée à une personne ou à une famille l'est pour être partagée. "Dieu donne pour que l'on donne"...

Il ne s'agit pas, avec toutes ces évocations, d'éveiller une sorte de nostalgie d'un monde révolu qui aurait atteint l'idéal, mais de déplorer que celui-ci n'ait pas été pris en compte et enrichi des valeurs positives de la modernité, plutôt qu'aboli. Je suis conscient qu'il faut se garder de magnifier le passé ou de tomber dans le mythe du "bon sauvage". Partout où est l'être humain est le tourment, avec ses corollaires : violences, jalousies, etc. Les traditions recèlent également des pratiques et des comportements qui peuvent nous heurter. Pourtant, il serait injuste, sous ce prétexte, de ne pas donner leur juste résonance à ce qui, au sein de ces traditions, honore l'être humain, et à des valeurs dont le monde a un besoin croissant.

Pratiquant en général la modération, les cultures traditionnelles ont été probablement héritières de cette vision première où l'être humain proclamait son appartenance à la vie au lieu de revendiquer d'en être le propriétaire. Les civilisations qui se sont construites sur le stockage, à la suite de la révolution néolithique, se sont presque toujours détournées de la modération. Pour se donner une assise, une puissance, elles ont instauré une prédation extensive, et déjà le "toujours plus" : plus de sol pour l'agriculture et l'élevage, de bois pour l'architecture, la construction navale, la métallurgie, la poterie, le charbon de bois, la chaux, les guerres, etc. Les prélèvements des nouveaux "civilisés" ont toujours été exorbitants, comparés à ceux des peuples traditionnels. Ainsi, d'une utilisation des ressources aux fins d'assouvir des besoins légitimes, liés aux nécessités indispensables à l'existence, on est passé à une pulsion irrépressible de posséder. Faut-il rappeler que certaines civilisations, qui font les délices des archéologues qui en décryptent la mémoire pétrifiée, sont ensevelies sous le sable des déserts qu'elles ont provoqués ? On peut dire qu'avec ces comportements le principe de la croissance économique venait en quelque sorte de naître. Nous sommes passés d'un principe ignorant la dissipation, fondement de la pérennité des ressources, à celui de l'épuisement desdites ressources et de leur accaparement par les plus avides, au détriment d'un nombre considérable de leurs semblables ; ainsi venait de naître le principe d'inéquité et d'inégalité que nous déplorons aujourd'hui. Les règles de la tempérance sont remplacées par celles de l'avidité. A la terre comme lieu de vie succède la terre comme gisement de ressources minérales, végétales et animales, à piller sans modération, tandis que le contexte naturel, à savoir l'écosystème planétaire tout entier, nous inviterait plutôt à une régulation de nos besoins, à une économie véritable mise au service de l'humain, dans le respect du vivant. Ce que l'on appelle aujourd'hui "économie" est devenu l'art subtil de faire de la prédation une science dont la complexité permet de justifier la place considérable dévolue au superflu, alors que le mode d'existence traditionnel semble être une sorte d'optimisation de l'art de vivre ensemble avec simplicité. Même au sein d'une nature inhospitalière, à l'instar des déserts torrides ou glacés, l'espèce humaine démontrait sa capacité à mettre en valeur les ressources, si maigres soient-elles, que celle-ci lui offrait. Il y a là comme un point d'équilibre que beaucoup de peuplades sur la planète ont su atteindre dans leur rapport avec la réalité vivante. Il ne s'agit pas, encore une fois, de magnifier ces cultures au point d'occulter ce qu'elles avaient de moins admirable, même si des préceptes dictés par un certain code moral nécessaire au vivre ensemble pouvaient modérer les pulsions négatives, et si des autorités charismatiques s'employaient à maintenir l'harmonie au sein du groupe. Avec la tranquillité et la légèreté, nous pouvons toujours en tous lieux et en tous temps construire, si nous le voulons vraiment, un art de vivre. Mais peut-on y parvenir malgré la pesanteur de notre monde, encombré de tant de superflu ? L'avenir incertain nous inspirera certainement les innovations nécessaires à la poursuite de notre histoire.

LE LIEN AVEC LE CARACTÈRE SACRÉ DE LA VIE

Bien que n'appartenant plus à aucune religion – je leur dois toutefois d'avoir été éveillé à la transcendance –, je me suis aperçu que la sobriété heureuse, pour moi, relève résolument du domaine mystique et spirituel. Celui-ci, par le dépouillement intérieur qu'il induit, devient un espace de liberté, affranchi des tourments dont nous accable la pesanteur de notre mode d'existence.

Existe-t-il une vie après la mort ? A cette question récurrente depuis l'avènement de notre espèce pensante, pas de réponse définitive, hormis la foi, tenue pour certitude par ceux qu'elle habite. Nous n'avons que des hypothèses, et les controverses que suscite cette question impossible peuvent être développées à l'infini. Chacun se donne la réponse qui lui convient, forge ses propres certitudes, ou accueille le doute, le scepticisme, l'athéisme… Certaines religions ont pourtant dès l'origine eu la sagesse de proclamer que Dieu lui-même est indicible : celui sur qui on ne peut rien dire. Hélas, les rayons des bibliothèques ploient sous le poids de considérations contradictoires, et même conflictuelles, sur ce principe indicible. En pareil domaine, encore une fois, seul le silence ancré dans cet incommensurable mystère que l'on appelle la vie est vraiment réaliste. En dépit de nos élucubrations, de la beauté que notre planète nous offre et de l'intelligence créatrice, nous sommes bien obligés de constater que ni les religions, ni l'art, ni la science, ni la politique, ni la philosophie n'ont apaisé le monde, nos cœurs et nos consciences. On peut supposer que sans eux le monde eût été plus barbare qu'il n'est, mais je ne peux me défendre de l'idée qu'ils ont aussi été facteurs de dissensions et de violence.

Il est dommage que le temps passé à essayer de savoir s'il existe une vie après la mort ne soit pas consacré à comprendre ce qu'est la vie, et, en comprenant son immense valeur, à agir pour en faire un chef-d'œuvre inspiré par un humanisme vivant et actif, au sein duquel la modération serait un art de vivre. Il serait dommage, après avoir été repu de souffrance et de non-sens, de se demander au terme de sa propre vie non pas s'il existe une vie après la mort, mais s'il en existe vraiment une avant la mort, et ce qu'elle représente dans le mystère de la vie. Une existence accomplie se mesure-t-elle à la réussite économique, politique, ou autre ? Tout est élément éphémère dans ce fleuve peu tranquille que nous appelons l'histoire. Même ceux que nous nommons les "grands hommes" y disparaissent, ne laissant au creux de notre mémoire qu'une empreinte évanescente dans l'immensité infinie du silence. Toutes les disciplines scientifiques réunies ne peuvent nous éclairer, parce qu'elles ne nous donnent à comprendre que les fragments d'un phénomène qui échappe à la compréhension globale. Elles ont cependant le mérite, pour les âmes humbles, de mettre en évidence l'impossibilité pour la pensée, de nature limitée, de nous permettre l'accès à une réalité de nature illimitée. Cependant, lorsque la pensée prend conscience de ses limites, silencieuse, elle nous conduit jusqu'aux rivages de l'inconnu. Elle s'apaise alors, découvre la sobriété, et nous introduit à une contemplation dénuée de tout questionnement sans objet, de toute attente ou ambition, qui ouvre notre être profond à ce qui n'est réductible à aucun langage. Il est probable que le silence auquel se heurte notre désir de savoir l'essentiel de l'essentiel soit la cause de nos plus grands tourments, et transforme la vie en un enfermement, alors que l'univers tout entier nous invite à la liberté la plus absolue. Nos connaissances ont pu nous expliquer comment une humble graine germe et perpétue la vie, mais n'ont jamais élucidé le pourquoi de la vie.

La vérité n'est pas à débusquer quelque part. Aucune philosophie, aucun dogme ou précepte, aucune idéologie ne peut la capturer, encore moins la mettre en cage. Elle ne se révèle que lorsque nous cessons de spéculer et de nous tourmenter. Nous ne pouvons en être visités que dans l'immobilité et le silence. Et dans cet état, il n'y a place pour aucun point de vue, aucune opinion à propos de ce sur quoi il n'y a rien à dire. La vérité semble préexister à tout ce qui existe. Il est probable – du moins, c'est ainsi que je le ressens – que ce soit ce que nous appelons, dans une approximation intuitive, et sous l'aiguillon d’un doute permanent, la puissance du divin, que les primitifs, nos lointains géniteurs, pressentaient dans toutes les manifestations de la vie.

VERS LA SOBRIÉTÉ HEUREUSE

LA PAUVRETÉ EN TANT QUE VALEUR DE BIEN-ÊTRE

Il s'agit là du titre de l'un des chapitres de mon livre autobiographique publié en 1984, sur l'insistance d'un ami, petit éditeur ardéchois. J'avais donné à cet humble ouvrage le titre *Du Sahara aux Cévennes* et, pour qu'il n'y ait pas confusion avec une sorte de Paris-Dakar à l'envers, j'avais ajouté comme sous-titre *ou la Reconquête du songe*. Symboliquement, cela signifiait reconquérir la liberté à l'égard du temps-argent pour retrouver l'intemporalité sans objet dudit songe. Contrairement au rêve, que peuplent des images suscitées par nos désirs, le songe est un état d'immobilité totale, une méditation hautement bénéfique à l'âme.

Le concept de pauvreté avait de quoi déconcerter, mais pour nous c'était une véritable option de vie, et non une proclamation morale parmi d'autres. La conviction selon laquelle l'avenir est à la civilisation de la sobriété n'a cessé d'être à mes yeux une évidence grandissante et, dans la boulimie consommatrice qui étreint le monde, une nécessité vitale.

J'aimerais étayer mon propos d'un témoignage vécu, significatif de l'état d'esprit qui nous animait déjà lorsqu'en 1961 nous avons choisi d'abandonner la vie urbaine pour vivre, au sein de la nature, du travail de la terre nourricière. Ainsi, *Du Sahara aux Cévennes*, qu'un nombre important de lecteurs connaissent pour avoir été une sorte d'anticipation sur les évolutions qui caractérisent la société d'aujourd'hui, retraçait mon parcours de petit Saharien né dans une famille traditionnelle musulmane. Pour que le présent témoignage soit aussi clair que possible, j'emprunterai à cet ouvrage le récit de certaines de mes expériences. Je prie le lecteur de ne voir dans cette évocation aucune vanité, mais l'exposé de faits relatifs à notre sujet, à savoir la sobriété heureuse.

Orphelin de mère à l'âge de quatre ans, je fus confié par mon père forgeron, pour être instruit, à un couple de Français sans enfant. L'enfant que j'étais a eu beaucoup de difficultés à assumer son appartenance à deux cultures, porteuses de valeurs souvent contradictoires. Entre tradition et modernité, islam et christianisme, Nord et Sud, j'ai grandi loin de ma famille traditionnelle, ma famille d'adoption ayant été mutée dans le Nord de l'Algérie.

Après des études scolaires médiocres, je suis devenu un autodidacte acharné. Je voulais comprendre, trouver des réponses. Je lisais les philosophes, les humanistes, les mystiques, et m'intéressais à l'histoire. A l'âge de seize ans, je suis devenu catholique. Dans cette période de bouleversements, je m'interrogeais sur ce que représentait vraiment cette civilisation qui m'avait appris que mes ancêtres étaient les Gaulois... Adolescent, j'ai également souffert de la violence de la guerre de libération algérienne. Finalement, j'ai quitté l'Algérie pour la France à la fin des années cinquante, dans une solitude totale. J'ai trouvé un travail d'ouvrier spécialisé dans une entreprise de la région parisienne et, assez vite, n'ai pu souscrire à un modèle de société qui à l'évidence aliénait l'être humain. J'ai rencontré Michèle et, ensemble, nous décidâmes de fonder une famille, mais pas dans cet univers hors sol. En 1961, dans un processus de retour à la terre, nous nous installâmes dans la Cévenne ardéchoise.

N'ayant pas le moindre sou pour acquérir un lieu où incarner notre rêve, la seule possibilité, suggérée par des âmes compatissantes, était de contracter un emprunt au Crédit agricole, qui fonctionnait encore comme une vraie mutuelle. Renseignements pris à l'agence des Vans, en Ardèche du Sud, l'obtention d'un prêt était conditionnée par des compétences en agriculture de la part de l'emprunteur. Rien de plus logique ; mais je devais en l'occurrence avouer que je n'avais pas les qualifications requises. Pour me conformer à cette exigence, j'ai donc suivi des cours élémentaires d'agriculture dans une maison familiale rurale ardéchoise. La scolarité étant payante et nos ressources des plus limitées, j'ai dû "en mettre un coup" pour assimiler le programme de trois ans en une année. J'obtins mon petit BAA (brevet d'aptitude agricole), que j'ai complété par deux ans de pratique en tant qu'ouvrier agricole.

Après avoir parcouru toute la région à mobylette à la recherche d'une exploitation disponible, j'ai fini par trouver un lieu qui enchanta Michèle autant que moi-même, et nous décidâmes de nous y installer. Le plan cadastral en main, je me rendis, l'espoir au cœur, à l'agence du Crédit agricole pour constituer mon dossier. Mais la description du domaine a déconcerté le directeur de l'agence… Les quatre hectares de terre de garrigue sèche et rocailleuse étaient constitués de petits placets issus d'un épierrement acharné poursuivi sur plusieurs générations. Le mas en pierre était encore debout au milieu de cet espace austère, mais nécessitait des travaux assez importants. Une trentaine seulement de mètres cubes d'eau pluviale étaient collectés dans des réservoirs aménagés par les anciens dans les failles naturelles souterraines.

Le préposé de la banque trouva notre choix tellement irrationnel qu'il déclara ne pas vouloir nous aider à nous suicider en nous accordant le prêt demandé. L'époque était à un exode rural massif et le nombre de fermes à l'abandon ne cessait de croître, comme en témoignait la liste que le directeur me mit sous les yeux : son doigt glissa de haut en bas sur le papier et s'arrêta sur une exploitation de quarante hectares située dans la vallée de l'Eyrieux, plaine fertile, paradis des arbres fruitiers en général et de la célèbre pêche ardéchoise en particulier. "Je préfère, me dit mon interlocuteur, vous prêter 400 000 francs pour l'achat de cette exploitation où vous « ferez de l'argent » plutôt que 15 000 pour un lieu où, à l'évidence, vous allez faire périr votre famille." Jaillit alors de ma bouche, comme si j'étais dans un état d'ébriété, une phrase insensée dont j'allais me repentir aussitôt : "Monsieur, dis-je, ce n'est pas l'argent qui m'intéresse" – ce qu'il ne faut jamais proclamer dans une agence bancaire ! Le préposé ne dit mot, mais sa mine découragée et la façon dont il remballa sa liste en dirent long sur son exaspération, que je trouve, *a posteriori*, tout à fait légitime. Ma requête ne pouvant être écartée, le dossier fut néanmoins constitué et présenté à la commission de sélection et de validation de la banque. En attendant, la négociation avec le directeur d'agence s'acheva sur un salut plus que bref et je quittai l'établissement dans un état de confusion proche du vertige. J'avais le sentiment d'avoir, en cédant à une pulsion sincère mais stupide, commis une maladresse fatale à mon projet, maladresse que j'ai payée par des jours et des nuits d'intense inquiétude et d'insomnies. J'étais convaincu que le prêt ne me serait pas accordé.

Comment aurais-je pu expliquer à une personne dont la bienveillance à notre égard ne faisait en la circonstance aucun doute que notre quête, bien que prenant en compte la nécessité absolue de gagner de l'argent pour réaliser notre projet, avait également d'autres finalités que cette dernière ? Comment faire entendre à cet honnête homme totalement gagné à l'idéologie du productivisme agricole que la beauté du lieu, le silence dans lequel il était immergé, la lumière, la splendeur du paysage représentaient pour nous des valeurs inestimables, au point de déterminer notre choix en dépit de critères agronomiques des plus défavorables ? Nous voulions simplement vivre des biens tirés de la terre nourricière en même temps que de la nourriture immatérielle que la nature offre en abondance, sans autre contrepartie que notre satisfaction intérieure. Finalement, grâce à l'appui d'un sénateur qui avait bien compris nos aspirations, nous avons obtenu un prêt au taux de 2 % remboursable sur vingt ans, ce qui était quasiment un cadeau. C'est ainsi que nous avons acquis le lieu, précédemment décrit, sur lequel nous vivons depuis quarante-cinq ans.

Avec ce comportement extravagant dans le contexte de l'effervescence et de la prospérité des Trente Glorieuses, nous venions de choisir consciemment, résolument, la "sobriété heureuse" comme art de vivre. Paradoxalement, ce choix de la simplicité a comporté des contraintes et des complications de toute nature, parfois à la limite du supportable. Même la simplicité, dans un monde voué au profit sans limites, a un coût. Mais cette quête nous a donné la sensation de cheminer sur une voie juste et libératrice, intimement liée à une nature dont la beauté et le mystère ont instillé dans notre esprit cette étrange sensation d'être véritablement reliés au principe originel et à l'énergie incommensurable qu'il a engendrée. Nous en avons été irrigués, et c'est ainsi que nous avons eu, par la force de notre conviction, le courage de faire d'un lieu dénudé et austère une modeste oasis, un petit royaume de patience.

Durant sept ans, en attendant l'adduction d'eau communale, nous avons donc vécu sur nos maigres réservoirs. Il n'y avait pas non plus de raccordement électrique, dont nous nous sommes passés pendant treize ans : bougies, lampes à pétrole et lampes à gaz ont suffi. Le chemin, par temps de pluie, n'était pas praticable pour notre vieille et très vaillante Juva 4, sur laquelle j'exerçai un acharnement thérapeutique permanent jusqu'à la fin de sa vie, plus que méritante. En résumé, le confort moderne n'avait pas investi cette enclave dont l'intégrité témoignait encore d'un temps révolu, qui éveille en moi une étrange nostalgie.

Nos méthodes de gestion du petit domaine se sont fondées sur des principes écologiques, à l'exclusion de toute nuisance chimique. C'était le refus radical de l'agriculture industrielle, qui ne peut produire sans détruire, ce qui à nos yeux représentait une exaction majeure contre la terre nourricière, la nature et les êtres humains. Les pesticides affectent toutes les ramifications du système vivant, jusqu'à atteindre l'être humain par son alimentation dénaturée. C'est ainsi que nous sommes entrés en écologie, rejoignant les rares pionniers de l'agriculture biologique et écologique inconditionnelle. Les méthodes agronomiques appliquées sur notre domaine ont été testées en d'autres lieux, en particulier dans les zones sahéliennes dégradées par la sécheresse des années soixante-dix. Le paysan sans frontières est devenu un petit guérisseur, un avocat de la terre, dont le respect est la plus belle occasion donnée à l'être humain de vivre et de s'enchanter, au lieu de se transformer en prédateur destructeur. Le cheminement est devenu engagement et initiation, au cœur du grand mystère…

Ainsi, le principe de sobriété que je prône n'est pas un principe de circonstance ; il vient d'une conviction intrinsèquement liée à un choix de vie.

La terre et les animaux compagnons qui nous ont permis de vivre en ces lieux magnifiques n'ont jamais été considérés seulement comme les moyens de gagner l'argent dont nous avions besoin comme tout un chacun. Au-delà de simples ressources que notre labeur mettait en valeur pour répondre à nos besoins matériels, nous les considérions comme des offrandes de la vie. Sur ce chemin, nous n'avons au demeurant pas été exempts de soucis matériels, tourments intérieurs, dissensions et divergences ; mais ces difficultés se sont révélées nécessaires pour une meilleure compréhension de soi-même et des autres. Cette vie est à l'évidence un chemin initiatique ascendant. A mesure que nous le gravissons, comme sur le flanc d'une montagne d'incertitude, de méconnaissance et de doute, le paysage s'élargit, devient plus intelligible, et la conscience semble s'élever, se clarifier.

Dans cet itinéraire singulier, construire un lieu de vie structuré, concilier les exigences économiques avec les impératifs écologiques nécessite beaucoup de rigueur. Vivre autrement dans le contexte d'une société solidement campée sur des principes érigés en norme irrévocable soulève des questions auxquelles nous ne sommes pas toujours préparés. J'entends par "rigueur" le sérieux avec lequel on construit – sans tomber dans une rigidité tétanisante – une alternative, avec les moyens dont on dispose et ceux qu'il faut inventer, surtout lorsque l'argent manque. Les efforts révolutionnaires des mouvements de protestation, comme celui de 1968, ont souvent été réduits à néant ou à la portion congrue par la confusion de la désinvolture et de la liberté, elle-même assimilée au refus de toute contrainte. Une vision rationnelle et objective est en fait indispensable pour satisfaire aux besoins matériels. Aussi avons-nous géré notre petite ferme comme une petite entreprise, respectant les règles qu'impose une telle gestion. Mais, contrairement à ce qui se passe dans une entreprise ordinaire, pour laquelle extension est synonyme de réussite, nous avons d'emblée opté pour l'autolimitation. C'est cela qui a été notre réussite, car la sobriété est une force. La valeur ajoutée au produit de base s'est construite sur un rapport marchand intégrant le facteur social : rencontres conviviales sur le marché, à la ferme... Ainsi avons-nous évité à tout prix de nous marginaliser, de nous retrancher de la communauté environnante. Pour nous, vivre autrement ne consistait pas à édifier une enclave au sein de cette communauté. Modération comme principe de vie et modération comme expérience intérieure constituent l'avers et le revers d'une seule et même quête de sens et de cohérence.

L'AUTOLIMITATION VOLONTAIRE

Je dois avouer qu'après la frugalité, parfois proche de l'indigence, vécue avec ma famille à partir de 1961 et durant une quinzaine d'années, pendant la phase pionnière de notre aventure cévenole, aujourd'hui, bénéficiant d'une prospérité certes raisonnable mais durement acquise, je suis obligé de me reposer à moi-même cette question : que veut dire au juste la sobriété que je prône ? Suis-je toujours en cohérence avec ce choix initial, dont l'état actuel de la société, en crise grave, renforce la pertinence et la nécessité, alors qu'après m'en être longtemps passé je jouis de la plupart des attributs de la modernité et du mode d'existence très dispendieux qu'elle impose ?

Certes, je n'ai ni yacht, ni jet privé, et n'en ressens ni désir ni frustration, mais la modeste prospérité dont il est question nous a permis, à côté de l'immense privilège de vivre au sein d'une nature magnifique, d'accéder à la plupart des innovations marquées du sceau du fameux progrès, censé améliorer la condition humaine. Me voici donc immergé dans une logique dont je récuse le fondement et où la limite entre sobriété et non-sobriété est devenue très floue.

En fait, bien que réprouvant sans appel toute forme de spoliation de l'homme, je suis obligé de constater qu'en dépit de mon empreinte écologique somme toute modérée je suis un capitaliste. Il me suffit, pour le vérifier, de séjourner dans un village d'Afrique sahélienne où nous menons des actions solidaires en faveur de l'agroécologie : j'y deviens objectivement un millionnaire. Car avec la seule contre-valeur financière de ma voiture d'une gamme moyenne, dont j'ai impérativement besoin comme outil de déplacement, chargé de livres et de documents pour mes conférences, un village africain de deux cents habitants pourrait, s'il devait les acheter et non les produire, subvenir à ses besoins alimentaires durant au minimum deux années. Et si je chiffrais mes modestes possessions et dépenses annuelles, la disparité deviendrait abyssale. Le système est fait de telle sorte que, si l'on prend comme référence, dans la hiérarchie de l'avoir, les besoins vitaux les plus légitimes, il y a beaucoup de capitalistes qui s'ignorent. On peut dire en toute logique que, sitôt après avoir satisfait aux nécessités vitales de base, indexées sur le niveau élémentaire de survie – nourriture, eau potable, abri, vêtements, soins pour tous –, et qui sont loin d'être couvertes sur la planète, on passe dans le domaine du superflu et de l'accumulation sans équité ni limites.

Si l'on examine l'ensemble de l'organisation, ou plutôt de la mauvaise organisation, qui répartit les biens nécessaires à la survie de chacun, l'autolimitation volontaire engendre *ipso facto* de l'équité. Si l'on veut instaurer sur notre planète commune

une équité inspirée par les impératifs moraux, on est amené à dire que, tant que l'ensemble des êtres humains n'a pas accès aux ressources vitales, il y a spoliation. Tant qu'un seul enfant naît dépourvu de ce qui lui revient légitimement en tant qu'être vivant, il y a usurpation car les biens venus de la terre, qui sont encore abondants, sont dédiés à tous les êtres vivants qu'elle héberge et non à ceux qui, par le pouvoir politique, la loi du marché, les finances ou les armes, s'en attribuent la légitimité. Un tel hold-up est aujourd'hui entériné par des lois qui en font une norme que l'on ne peut remettre en question. Tant que cette malhonnêteté ne sera pas considérée comme illicite selon l'ordre et l'intelligence de la vie, l'humanité ne pourra être pérenne.

Ainsi, misère, pauvreté et richesse cohabitent sur notre planète commune et créent des hiérarchies de l'avoir et du pouvoir débouchant sur toutes les répressions – le tout imputable à l'idéologie du toujours-plus illimité. Le fameux pouvoir d'achat aurait-il une signification hors de la logique en vigueur, qui ravale le citoyen au rang de vulgaire consommateur ? Un éventuel manque de ferveur à consommer ne peut en toute logique que lui être préjudiciable. Consommer, au risque de toutes les obésités physiques et psychiques, est de fait une sorte de devoir civique, reposant sur une manière d'ascèse inversée, où insatiabilité et insatisfaction alternées constituent les deux mamelles de l'économie. Gratitude, modération, pondération sont les sentiments et vertus qu'*Homo economicus*, rouage d'une gigantesque machine mondiale, doit résolument abolir, car ils sont dangereux pour le métabolisme de la pseudo-économie qui tient le monde à la gorge.

Encore une fois, comment, dans des contextes aussi compliqués, définir clairement ce que devrait être la sobriété ? D'autant que l'on sait aussi que, sans l'aide sociale de l'Etat et des organisations caritatives, une plus grande partie encore des citoyens des pays dits développés seraient dans un état de misère insoutenable. Cette situation mène inexorablement au surendettement des familles, qui s'ajoute à celui des Etats et d'un nombre toujours grandissant d'institutions communales, départementales, régionales… Ce que l'on n'ose appeler "récession" n'a pas besoin d'être nommé pour exister dans les faits. Vu les mécanismes pseudo-économiques qui régissent les rapports entre les nations et le fonctionnement dispendieux, quand il n'est pas somptuaire, des Etats, une telle situation ne peut qu'entraîner des dépôts de bilan en cascade parmi les Etats nations. Il est évident que les endiguements et palliatifs sociaux seront impuissants à contenir un phénomène irréversible, qui régit le vivre ensemble national et international. Cette situation réduit forcément à néant la capacité d'entretenir l'économie en amont par son travail et en aval par son pouvoir d'achat.

Le recours à la solidarité compassionnelle aura une fin, sans que l'on sache ce qui pourra bien en prendre le relais. Il ne sert à rien de produire des marchandises à vendre dans le même temps que, par l'exclusion, un grand nombre de citoyens ne peut plus les acquérir. La politique du pompier pyromane a le grave inconvénient de dédouaner les Etats de leur responsabilité à l'égard des citoyens qui les mandatent pour la gouvernance du destin collectif. Les défaillances et les incompétences sont telles que des révoltes incontrôlables, de plus en plus violentes, vont à l'évidence se multiplier en s'amplifiant si la gouvernance mondiale persiste à entretenir la logique inhumaine qui produit souffrance et indifférence.

Il est évident que, pour les catégories les plus pénalisées, le principe de sobriété n'a aucun sens et pourrait légitimement être interprété comme une provocation, ou de la dérision. Bien sûr, les êtres spoliés de leur droit légitime à l'existence ne pourront se contenter d'une solidarité compassionnelle, en lieu et place de la responsabilité de soi-même que la société doit impérativement permettre à chacune et à chacun. La sobriété, dans ce cas, devient facteur de justice et d'équité, mais cela nécessite obligatoirement de renoncer au modèle actuel, fondé sur la toute-puissance du lucre et à lui dévoué. Nous ne dirons jamais assez que, sans renonciation à celui-ci, rien n'est possible. L'observation objective des faits met en évidence la nécessité absolue d'un paradigme plaçant l'humain et la nature au cœur de nos préoccupations, ainsi que l'économie et tous nos moyens à leur service.

On me demande souvent ce que j'entends par cette "sobriété heureuse" que je prône comme une sorte d'antidote à la société de la surabondance sans joie dans laquelle les pays dits développés se sont enlisés. Au-delà d'un concept séduisant, esthétique ou poétique, cette idée résonne en moi comme une nécessité inspirée par une analyse des faits objectifs et quantifiables, qui déterminent, à mon avis, l'avenir de la façon la plus rigoureuse. J'avais adopté le terme de "décroissance soutenable", proposé par l'économiste roumain Nicholas Georgescu-Roegen ; j'en ai fait l'argument central de ma précampagne électorale à l'élection présidentielle de 2002 ; j'ai dû renoncer à ce terme au motif qu'il suscitait beaucoup de malentendus, mais pas à l'analyse et aux postulats économiques que Roegen proposait et qui me paraissent toujours extrêmement pertinents. Car, pour cet économiste singulier, la seule économie qui vaille est celle qui produit du bonheur avec de la modération. Cette conception est pour moi depuis longtemps une évidence, comme je l'ai déjà exprimé.

La problématique que pose Roegen avec lucidité finira par s'imposer, tout simplement parce qu'elle est réaliste. Car, au train où va leur prélèvement par une minorité acquise au credo de la croissance indéfinie, et de toujours plus de finance, l'épuisement des ressources évolue selon une courbe exponentielle. En choisissant le modèle de développement responsable du désastre, les pays émergents contribuent à accélérer un processus qui ne peut qu'être fatal à l'espèce humaine. Faut-il encore et encore le redire ? on ne peut appliquer à une planète naturellement limitée un principe artificiel illimité.

En même temps que le réenchantement du monde que nous aurons à accomplir, la beauté étant à l'évidence une nourriture immatérielle absolument indispensable à notre évolution vers un humanisme authentique, nous devons également et impérativement trouver une façon juste d'habiter la planète et d'y inscrire notre destin d'une manière satisfaisante pour le cœur, l'esprit et l'intelligence. J'entends par beauté celle qui s'épanouit en générosité, équité et respect. Celle-là seule est capable de changer le monde, car elle est plus puissante que toutes les beautés créées de la main de l'homme, qui, pour foisonnantes qu'elles soient, n'ont pas sauvé le monde et ne le sauveront jamais. En réalité, il y va de notre survie. Le choix d'un art de vivre fondé sur l'autolimitation individuelle et collective est des plus déterminants ; cela est une évidence.

UN CHANGEMENT HUMAIN

Lors de ma campagne électorale de candidat à la candidature à l'élection présidentielle française de 2002, j'affirmais – et continue de le faire – que le modèle de société destructeur qui s'est imposé à toute la planète n'est pas "rafistolable". S'acharner à le maintenir, comme le fait la gouvernance du monde, est vain et ne fait qu'en prolonger l'agonie. Les effets désastreux induits ne cessent de s'amplifier. Les ajustements géopolitiques nécessaires à un nouvel ordre mondial sont incompatibles avec le principe de croissance économique illimitée. Les évolutions climatiques, écologiques, économiques et sociales, prévisibles comme imprévisibles, nécessitent une créativité sans précédent. La sobriété heureuse ne peut se réduire à une attitude personnelle, repliée sur elle-même. Partant d'un art de vivre personnel, nous sommes impérativement invités à travailler à la sobriété du monde. En passant de la logique du profit sans limites à celle du vivant, il est question, en langage savant, de "changer de paradigme".

METTRE L'HUMAIN ET LA NATURE AU CŒUR DE NOS PRÉOCCUPATIONS

Refonder l'avenir sur la logique du vivant implique d'abord de renoncer aux mythes fondateurs de la modernité, qui sont incompatibles avec ce propos. Il est absolument certain que la sobriété, si elle devait se propager, serait un formidable antidote aux excès destructeurs. Changer de paradigme signifie, selon nos aspirations, mettre l'humain et la nature au cœur de nos préoccupations et tous nos moyens à leur service. Alors, on se surprend à rêver à des rencontres au sommet de toutes les nations, enfin conscientes que la planète Terre n'est pas un gisement de ressources à épuiser, mais une très précieuse oasis de vie. Les biens absolument vitaux qu'elle recèle doivent être protégés par une réglementation spécifique. Il faudrait voter des résolutions radicales pour en préserver l'intégrité. Les forêts, le sol nourricier, l'eau, les semences, les ressources halieutiques, etc., doivent impérativement être soustraits à la spéculation financière. Il est navrant et révoltant de voir le patrimoine vital de l'humanité et des innombrables créatures qui partagent son destin être, sans vergogne, subordonné à la vulgarité de la finance.

> *Seulement après que le dernier arbre aura été coupé, que la dernière rivière aura été empoisonnée, que le dernier poisson aura été capturé, alors seulement vous découvrirez que l'argent ne se mange pas.*

Cette prophétie est pure intelligence, celle des peuples autochtones, premiers, traditionnels, peu importent les qualificatifs. La protection de ces peuples, témoins vulnérables et innocents, contre l'arbitraire et la méchanceté des peuples dits civilisés devra être inscrite dans les priorités par des lois rigoureuses. Aux exactions directes s'ajoutent les génocides par confiscation et destruction de leur milieu naturel, avec lequel ils ont appris à vivre en une symbiose parfaite depuis les origines. Il faut également considérer ces milieux comme des biens communs qu'ils ont su préserver ; nous devrions, pour cela, leur être reconnaissants. L'abus de pouvoir et le mépris dont ils sont victimes confinent à la lâcheté, et constituent une offense à l'humanisme le plus élémentaire.

Les magnifier à l'excès n'est probablement pas juste non plus. Ces communautés ont également leurs imperfections, des comportements à changer. Je suis souvent interpellé et choqué par la place très effacée réservée aux femmes. Cependant, ces peuples encore fortement reliés aux fondements de la vie nous témoignent, par leurs convictions les plus profondes et leurs manières d'être, que l'harmonie entre les humains et la nature comme fondement de l'écologie est possible. Leur droit à exister sur leurs territoires, selon les valeurs qui les animent et qui donnent sens à leur vie, comme pour chacune et chacun de nous, est tout simplement légitime. Notre engagement en faveur de ce droit ne doit pas être dénaturé par la pitié ou la condescendance. Leurs comportements et leurs messages contribuent à nous éveiller au caractère sacré de la vie.

Que le mythe de l'homme démiurge soit un concept masculin – que la civilisation technologique exalte particulièrement – est confirmé par l'absence d'implication du féminin dans cette civilisation-là. Jusqu'à preuve du contraire – exception faite de Marie Curie –, aucun des domaines d'innovation sur lesquels se fonde le paradigme de la modernité technico-scientifique n'a été historiquement marqué par l'apport du féminin. Pas le moindre piston, carburateur, émetteur d'ondes électromagnétiques, etc., qui soit issu du féminin. Cette réalité, loin d'être anodine, met en évidence les caractéristiques d'un masculin voué au culte outrancier de la puissance, qui nous vaut un monde aussi violent, et que le féminin protecteur de la vie aurait sûrement modéré.

Le témoignage le plus incontestable de la puissance féminine en tant que gardienne de la vie que j'aie pu admirer eut pour théâtre le Sahel. Dans les années quatre-vingt, les récoltes avaient été anéanties par la sécheresse, et la nourriture a cruellement manqué. En ces circonstances, l'impuissance de l'être humain confine à l'humiliation. Les hommes en plein désarroi furent contraints d'aller chercher du travail ailleurs – ou couvrirent de ce prétexte leur fuite. Les femmes, chargées d'enfants, ont déployé une énergie vitale insoupçonnable, que le harassement semblait renouveler ou aiguiser, plus qu'épuiser ou émousser. Elles allaient en troupes vaillantes dans le désert, pour, battant durant des heures une plante qui s'accroche aux vêtements par ses petites griffes, le cram-cram, en extraire laborieusement une graine de survie. L'épreuve extrême dont ces femmes démunies de tout ont triomphé m'a profondément ému, empli de gratitude et d'amour, et m'a inspiré une petite évocation : "Peut-être devons-nous demander en un dernier courage aux femmes gardiennes de l'eau, du feu et de la terre, de la Vie, de gravir les grandes éminences sacrées et faire offrande au Crépuscule du reste de notre ferveur pour que demain ne soit pas sans lumière."

Nous n'avons également jamais cessé d'attirer l'attention sur le drame que représente la subordination universelle du féminin au travers des femmes. La logique nouvelle ne peut se borner à une attitude qui confine au fatalisme face à ce problème, qui est à l'origine du déséquilibre de notre histoire. Il est urgent de prendre en compte la nécessité absolue d'un rééquilibrage masculin/féminin, et ce, dès la phase d'éducation des enfants. Il ne s'agit pas selon nous de la sacrosainte parité, mais du rapprochement et de l'harmonisation dynamique des valeurs et des sensibilités, des talents, dont la complémentarité peut sauver le monde.

A propos des femmes dans la société moderne, une question délicate reste alors à examiner, qu'il ne serait pas juste d'éluder si nous voulons être cohérents avec notre logique de modération : c'est qu'il faut bien reconnaître que les dépenses de bijoux, vêtements, soins, produits dits de beauté, etc., ne sont pas négligeables dans le bilan global de la consommation des nations prospères ; les plus grosses fortunes, dans certains pays, se sont bâties sur un tel empire. Notre intention n'est ni de culpabiliser les femmes, ni de remettre en question les pratiques et comportements millénaires mis au service de la beauté et du charme féminins, qui embellissent la vie et nos vies. Mais à la question : "Comment se fait-il que cela soit aussi dispendieux ?", la réponse ne peut se suffire d'une approche comptable, car ce phénomène échappe à la simple rationalité. Je me bornerai donc à quelques considérations élémentaires sans prétention, inspirées pour beaucoup par mes échanges avec des femmes amies sensibles à cette question, car nous sommes, avec cette problématique, dans un domaine très subjectif.

Au sein de la société moderne, l'image de la femme est pour ainsi dire une sorte de matière première à forte valeur ajoutée en fantasmes commercialisables de toute sorte. La moindre boutique de presse fait étalage d'images de femmes dénudées, ravalées au rang de marchandises ; en fait, innombrables sont les circonstances où les attributs sexuels de la femme sont exhibés à des fins commerciales. De telles images font acheter et vendre selon des procédés subliminaux adaptés à l'homme et à la femme, avec force mises en scène débilitantes et à grand renfort de manipulation mentale, comme la publicité sait si bien en produire. Le budget de cette dernière vient au demeurant, et lourdement, s'ajouter aux dépenses de beauté proprement dites. Par ailleurs, la condition de la femme dans les diverses cultures, sa dépendance historique à l'égard de l'homme protecteur, la codification juridique et morale qui confirme cette dépendance ne sont probablement pas pour rien dans l'escalade à la sécurité par la séduction, en satisfaisant aux critères masculins ; certaines femmes déclarent se sentir dans l'obligation de se conformer, malgré qu'elles en aient, à ces règles arbitraires. Par ailleurs, les vitrines, les magazines, la publicité sont autant de moyens de s'évader et de combler un vide affectif et social. Faut-il rappeler qu'en Europe, et en France en particulier, les femmes ont dû attendre fort longtemps avant d'avoir le droit de participer au suffrage universel – ce qui n'est pas sans signification ? Ce n'est pas parce que la démocratie a fini par déclarer l'égalité des sexes que cette égalité s'incarne dans les faits. Un machisme quasi indestructible demeure, enkysté dans la psyché profonde du monde masculin.

Si l'on ajoute à cela les affres du vieillissement, douloureusement ressenti comme perte du pouvoir de séduction, il devient bien difficile de ne pas se précipiter sur ce qui vous promet d'y remédier. Et pourtant, combien de femmes âgées qui, au-delà de critères esthétiques révolus, par-delà les canons et autres codes artificiels, nous émeuvent par leur beauté intérieure, par un charme d'une nature telle que rien ne peut l'altérer ? Etre belle ou beau, selon les critères des diverses cultures, est un besoin universel. Et l'on voit au sein de la pauvreté, dans une multitude de pays, une élégance féminine et masculine de tous les âges, mais à très faible coût. Ainsi, élégance, charme et beauté ne sont pas incompatibles avec la sobriété et ne sont pas subordonnés au niveau des dépenses que l'on peut y consacrer. Il y a là un sujet de réflexion et de méditation passionnant.

UNE PÉDAGOGIE DE L'ÊTRE

Le changement de logique ne peut se réaliser sans que l'on revoie de fond en comble l'éducation des enfants. Celle qui prévaut aujourd'hui est déterminée et inspirée par les priorités de l'idéologie marchande et financière, et l'abandon passif à une caste enseignante. On sait de plus en plus l'extrême importance que revêtent la conception, la gestation et la façon de mettre au monde un enfant. Trêve d'hypocrisie : ce que tout le monde appelle "éducation" est une machine à fabriquer des soldats de la pseudo-économie, et non de futurs êtres humains accomplis, capables de penser, de critiquer, de créer, de maîtriser et de gérer leurs émotions, ainsi que de ce que nous appelons spiritualité ; "éduquer" peut alors se résumer à déformer pour formater et rendre conforme. Le malaise grandissant de toute une jeunesse condamnée au naufrage dès lors que le système ne peut l'intégrer ou la prendre en charge témoigne de cette aliénation. L'équation qui a prévalu, en particulier lors des Trente Glorieuses, selon laquelle faire de bonnes études donnait une qualification garante d'un salaire ne fonctionne plus dans la société de la croissance illimitée. Alors, pourquoi s'obstiner dans cette option déjà obsolète ?

Dans le nouveau paradigme, il faut être en priorité attentif à l'enfant, en développant une pédagogie de l'être qui permette avant toute chose de le faire naître à lui-même, c'est-à-dire de l'aider à révéler sa personnalité unique, ses talents propres, pour répondre à la vocation que lui inspire sa présence au monde et à la société. C'est le doter d'une cohérence intérieure qui lui donnera le sentiment d'être à sa véritable place dans la diversité du monde. Pour que cette naissance à soi-même advienne réellement, il est indispensable d'abolir ce terrible climat de compétition qui donne à l'enfant l'impression que le monde est une arène, physique et psychique, produisant l'angoisse d'échouer au détriment de l'enthousiasme d'apprendre.

La prépondérance donnée à l'intellect au détriment de l'intelligence des mains, auxquelles nous devons pourtant notre évolution, est une catastrophe qui fait de nous des infirmes sans que nous en ayons conscience ; elle a créé une sorte de hiérarchie arbitraire offrant aux concepts la clé d'un processus décisionnel que l'expérience tangible ne peut valider. Le rapport concret à la nature est également indispensable, car c'est à elle que l'enfant doit la vie, toute son existence durant ; tirer parti d'un principe vital sans le connaître est une lacune monumentale.

L'éducation doit restaurer la complémentarité des aptitudes. Les établissements éducatifs devraient tous proposer de la terre à cultiver, des ateliers d'initiation manuelle, artistique… Des jardins biologiques permettraient de faire l'expérience tangible des lois intangibles du vivant : la fécondité de la terre, sa générosité à nous offrir les aliments qui nous font vivre, le mystère et la beauté des phénomènes qui régissent l'immense complexité de ce que nous appelons écologie. L'école doit être également le lieu privilégié de l'initiation à la complémentarité féminin/masculin et, bien entendu, celui d'une éducation à la sobriété peut-être décisive pour la vie entière. Car l'enfant, ignorant tout, en amont, du processus de production des biens dont il use abondamment dans la civilisation de la surabondance, ainsi que du devenir des déchets qu'il induit en aval, en est réduit à une stricte, et triste, fonction de petit consommateur gaspilleur. Il est inconscient de sa participation à l'outrance collective des nantis et des privilèges sans joie, alors que tant d'enfants vivent dans des pays où le quotidien est fait de frugalité – quand ce n'est pas de misère. Paradoxalement, j'ai souvent observé dans les yeux de ces derniers une étincelle encore ardente, comme lorsque l'espérance demeure vivante en dépit de tout. L'initiation à la modération est source de joie, car elle rend plus accessible la satisfaction, abolissant la frustration que produit le toujours- plus, entretenue en permanence par une publicité au talent pernicieux, dont tous les enfants devraient être protégés. Cette prise en otage produit des enfants blasés, désabusés, et, avec le "tout, tout de suite", c'en est fini de ce désir auquel la patience donne tant de saveur et de valeur. Dans le même ordre d'idées, on constate que l'industrie du jouet participe à l'ingérence de l'adulte dans l'imaginaire de l'enfant. Saturé d'outils ludiques prêts à la consommation, celui-ci est détourné de cette capacité naturelle commune à tous les enfants du monde de créer par eux-mêmes, et avec une fraîcheur incomparable, les objets nécessaires à leur amusement. Cette créativité, ennoblie de leur candeur, participerait très fortement à la sobriété par le fait qu'elle rend inutile la prolifération extravagante d'objets dont la fabrication est très dispendieuse en matières premières, souvent dérivées du pétrole, en énergie, en pollution, en recyclage, etc. Par ailleurs, on ne peut que déplorer le nombre de plus en plus exorbitant de jouets qui véhiculent des symboles pernicieux et pervers de la société contemporaine. Ils instillent dans des âmes innocentes les toxines de toutes les turpitudes : violence, meurtre, pornographie, etc. Il est du devoir urgent des Etats, et des parents, d'édicter des règles strictes pour protéger l'enfant, si vulnérable et manipulable, de toutes les convoitises qui portent atteinte à son intégrité. Il ne s'agit pas de traiter cette question avec un moralisme ou un manichéisme de circonstance, mais de donner à des faits objectifs des réponses objectives, qui doivent être apportées par les adultes, responsables du devenir des générations que la vie leur a confiées. Il ne suffit pas de se demander : "Quelle planète laisserons-nous à nos enfants ?" ; il faut également se poser la question : "Quels enfants laisserons-nous à notre planète ?"

LA CONDITION DE NOS AÎNÉS

Dans cet inventaire des aspects majeurs de la condition humaine dans la modernité, comment ne pas évoquer celle des personnes âgées, qui, aujourd'hui, blesse le cœur et la raison ? Vieillir est une condition à laquelle nul ne peut échapper ; ainsi en ont décidé les règles qui régissent la vie : la jeunesse n'est que provisoire dans le carrousel sur lequel nous sommes entraînés. Or, l'organisation de la société est fondée sur un *Homo economicus* considéré comme entité productive et consommatrice, les deux bielles du moteur de la pseudo-économie. Dans ce cas, vieillir n'est pas s'accomplir, fructifier et transmettre avant de s'éteindre, mais déchoir avant de disparaître. Il n'est donc pas étonnant que, dans ces conditions, la peur de vieillir soit si répandue. L'organisation même des agglomérations urbaines, de plus en plus inhumaines, est incompatible avec la séculaire assistance mutuelle entre générations, au sein de la famille élargie. La solidarité rationalisée par les dispositifs sociaux, comme la retraite, la sécurité sociale et les autres aides dispensées, touche à ses limites. Tout le monde sait que ces dispositifs sont subordonnés à la production de richesses financières. Ils s'éteindront forcément lorsque ces richesses se réduiront et même disparaîtront, comme cela est tout à fait probable. Les retraités jouissent aujourd'hui d'une manne qui fait d'eux, pour ceux du moins dont la retraite est suffisante, une catégorie paradoxalement privilégiée. Certains d'entre eux, au demeurant, utilisent cette manne pour soutenir enfants et petits-enfants, parfois chômeurs en dépit de leur jeune énergie et d'une longue préparation à l'entrée sur ce que l'on désigne par la détestable expression de “marché du travail”. Ce déséquilibre est l'un des grands signaux du déclin de la logique dominante, et contribue à aggraver le chaos social. En analysant froidement la situation, on constate aujourd'hui que les personnes âgées, avec les ressources qu'on leur octroie et les soins qu'elles requièrent, mettent le système sous perfusion. Elles sont courtisées par les politiques pour leur suffrage, ainsi que par les voyagistes, les banques et tout ce qui peut tirer profit de leur pécule, mais qu'en sera-t-il lorsque celui-ci se sera dissipé ? Comment ne pas appréhender une fin de vie condamnée à l'isolement, à la solitude d'un univers aseptisé ? La logique de la vie humaine a toujours pris en compte la nécessité de la continuité, par la transmission aux jeunes des acquis issus de l'expérience de vie des anciens. C'est merveille de voir un enfant et une vieille personne cheminer et deviser ensemble. Ils représentent alors les deux extrêmes de la vie et, par là, sa cohérence et son caractère perpétuel. La modernité, en segmentant les âges et les séquences de la vie, a ainsi ajouté à la douleur des fins de vie.

Quoi que l'on fasse, le maintien en vie d'une nation par des palliatifs n'aura qu'un temps ; la gouvernance politique, prise dans ses contradictions, ses querelles stériles, ses échéances électorales, sondages et cotes de popularité, ne peut – ou ne veut – voir la réalité avec objectivité et lucidité. Elle se contente de dispositifs sociaux de substitution, comme d'une sorte d'aumône institutionnalisée – en attendant quoi ? A cela s'ajoute l'assistance apportée par les institutions caritatives, dont le rôle ne cesse de s'amplifier. Pour la France : Emmaüs,

Restos du cœur, ATD Quart Monde, Secours catholique, protestant, populaire, Armée du Salut, etc. Sans oublier les subventions aux agriculteurs et les myriades de petites associations intervenant pour corriger les défaillances collatérales. Ces élans du cœur suscitent bien entendu notre gratitude, notre admiration, mais contribuent malheureusement à dédouaner les Etats de leur responsabilité, en masquant les symptômes qui devraient permettre un diagnostic plus réaliste, qui inspirerait les décisions radicales et à la hauteur de l'enjeu qu'il est urgent de prendre. Devant le dénuement de beaucoup, les frustrations engendrées, l'indignation face à l'arrogance parfois ostentatoire des grands nantis, l'arbitraire politique, les vanités exacerbées, la crétinisation de masse et les manipulations de toute nature, comment ne pas pressentir un cyclone social de grande amplitude ? Vouloir être exhaustif dans l'inventaire des atteintes portées à l'humain par l'homme est mission impossible. De même que les souffrances infligées par les humains à l'ensemble des créatures dont le seul tort est d'exister en même temps que nous, dans un espace qui nous est commun, semblent n'interpeller ni notre conscience ni notre cœur. Faut-il répéter que nous avons une créance de survie millénaire à l'égard des animaux, compagnons de notre destin ? Que serait devenu l'Esquimau sans ses chiens et toute la faune arctique qui l'a nourri ? le Bédouin sans le dromadaire ? le Lapon sans le renne ? et ailleurs, sous d'autres latitudes, le chameau, le yack, le cheval de trait, le bœuf, le buffle, etc. ? Quelle ingratitude... Le monde contemporain fait disparaître des pans entiers de biodiversité animale, aussi bien dans le monde sauvage qu'au sein des espèces domestiques, ou bien il inflige aux animaux des souffrances que la morale la plus élémentaire ne peut que récuser, ou encore les adule jusqu'à la déraison, leur imposant une existence bien peu conforme à leur véritable nature. Il m'a été difficile, à l'occasion d'un stage d'agroécologie, de convaincre les stagiaires africains du fait que les dépenses consacrées aux animaux de compagnie dans les pays riches dépassaient le budget national de certains pays dits en voie de développement. Dans la quête de la sobriété, il y a là aussi un sujet de réflexion. En fait, quel que soit le secteur de la vie moderne que nous examinions, nous constatons que nous nous situons toujours aux antipodes de la sobriété heureuse. Que de gâchis, que de déchets, de dépenses somptuaires autant qu'inutiles de la part des Etats !

On peut affirmer sans risque d'erreur que, tant que le lucre omniprésent, omnipotent et *omnicrétinisant* continuera à être le fluide pernicieux qui irrigue les esprits, qui déshumanise et détruit sans la moindre modération, l'espèce humaine non seulement ne pourra pas évoluer, mais régressera. Il faut être singulièrement naïf, hypocrite ou ignorant pour croire que c'est par le truchement de petites ou grandes messes internationales sur des thématiques carbonées et autres prétextes que nous allons rendre notre histoire belle et intelligente… Car l'intelligence n'a rien à voir avec les nombreuses compétences dont nous nous sommes dotés. La vision fragmentée du réel, la spécialisation à outrance, les multitudes impressionnantes de disciplines scientifiques, techniques, médicales, les instituts et autres académies non seulement n'ont pas sauvé le monde, mais parfois participent à précipiter sa ruine. Il faudrait cesser de jeter un regard condescendant sur l'histoire passée et faire notre miel de ce qu'elle a engendré de meilleur. Il faut considérer ce passé comme un patrimoine de l'humanité à réhabiliter et à harmoniser avec ce que la modernité a produit de positif, et que l'appât du gain a pris en otage en le privatisant. Mais cela ne peut se faire que sous l'égide de l'intelligence, en d'autres termes de la lucidité, qui n'est pas une affaire de cerveau bien lubrifié et performant, mais de connexion à un ordre transcendant qui préexiste à notre avènement et auquel nous devons, sans la moindre contestation, notre existence. Comprendre cet ordre, œuvrer avec lui et non contre lui, c'est cela, l'intelligence.

POUR UNE INDIGNATION CONSTRUCTIVE

Il est difficile de ne pas être indigné par la marche et l'état du monde. On a le sentiment d'un immense gâchis, qui aurait pu être évité si l'on avait adopté un modèle de société alliant intelligence et générosité. Or, l'indignation a toujours été suivie par la révolte. Celle-ci peut être efficace ou impuissante, selon les circonstances. Elle peut également engendrer le meilleur ou le pire ; l'histoire est pleine d'enseignements à ce sujet. Certaines dictatures parmi les plus féroces ont pris prétexte, pour s'installer, d'une révolte tout à fait légitime contre l'oppression. Malheureusement, les opprimés sont des oppresseurs en puissance, et il en sera toujours ainsi tant que chaque individu n'aura pas éradiqué en lui-même les germes de l'oppression. Les choses n'ont toujours pas changé et, tandis que l'on commémore la chute de murs, d'autres se construisent sous nos yeux, après s'être édifiés dans nos cœurs… L'humanité est versatile, imprévisible, mue par des mécanismes subjectifs incontrôlables qui nous invitent à la circonspection : il ne faut pas en attendre plus qu'elle ne peut donner. L'histoire nous a habitués, tout au long des siècles, au défilé des héros accueillis par des foules en liesse comme des sauveurs, pour être quelque temps après congédiés, ou même exécutés, s'ils ne satisfont plus aux attentes, parfois démesurées, dont ils avaient fait l'objet. A moins qu'ils ne s'installent définitivement dans un pouvoir autoritaire à vie, et même instaurent des dynasties illégitimes. Dans le contexte d'un monde à ce point perverti par la lâcheté et le consentement aveugle des citoyens, il y a quelque chose de pathétique dans la quête éternelle de l'homme providentiel et du bouc émissaire. Aujourd'hui, par une perversion de la démocratie – qui n'offusque même plus l'opinion –, des dictateurs d'une nature particulière sont intronisés, adoubés par des parodies de suffrage universel. Et cela est encore et toujours admis parce qu'un réseau d'intérêts occultes et souterrains étouffe l'indignation dans l'œuf, et, face à toutes les turpitudes, on se contente de quelques protestations impuissantes. Cela nous dédouanera-t-il de notre responsabilité à l'égard de notre destin individuel et de celui de la collectivité ? Destins dont le sens et la finalité échappent souvent à notre entendement... Ainsi, action et réaction constituent la chaîne et la trame de l'histoire. Peut-on, pour sortir de cette fatalité, imaginer une logique qui ne soit fondée ni sur la dynamique de l'antagonisme des oppositions et rivalités, avec leur cohorte de violences de toutes sortes, ni sur un consensus stérile fondé sur les compromissions qu'impose la suprématie de l'argent, cause des plus grands désastres sur la planète ? Au point où en est l'évolution du genre humain, les échéances et enjeux actuels réclamant des options décisives, la réponse à cette question ne pourra plus être ajournée, encore moins éludée. Le temps est venu de savoir où nous voulons aller et quelle vie nous voulons vivre pour que notre passage sur terre ait un sens ; car il faut bien reconnaître que pour l'instant, au vu de ce que notre présence au monde a provoqué sur la sphère vivante, cette présence évoquerait plutôt un regrettable accident.

L'humanité a un tel besoin de croire et d'espérer qu'elle est toujours prête au compromis, et à prendre des risques souvent mal évalués. Au vu de mes engagements de vie, certaines personnes me reprochent parfois de n'être pas assez virulent dans mes protestations. "Comment fais-tu pour garder toujours ton calme face aux situations les plus intolérables ?" Ces situations sont en effet si nombreuses que notre vie risque de n'être qu'une longue indignation orchestrant un état d'impuissance permanent.

"Es-tu optimiste ou pessimiste pour l'avenir ?" Bernanos écrivait que l'optimiste est un imbécile heureux et le pessimiste un imbécile triste. La société est à l'évidence de plus en plus anxiogène, et cela va s'amplifier en même temps que le ravage de la biosphère et l'indigence dont est responsable l'avidité accrue du genre humain. Des prophéties dignes des antiques pythies et les prédictions les plus irrationnelles cohabitent avec des prospectives et pronostics fondés sur les données dites scientifiques les plus rigoureuses, qui n'en provoquent elles-mêmes pas moins controverses, scepticisme, incrédulité, pessimisme, ou la foi la plus indestructible en un avenir meilleur. Tout cela ne nous éclairera jamais tant que nous ne comprendrons pas que toute crise humaine est issue de l'humain et que, mis à part les facteurs que nous ne pouvons maîtriser, l'avenir sera ce que les humains en feront. Rien d'autre.

Si ma nature profonde, en dépit d'une rébellion précoce et qui reste vive, ne m'a jamais poussé à la protestation virulente, cela ne veut pas dire que je prône la passivité. Je comprends que l'indignation puisse engendrer de légitimes exaspérations, dont une expression forte peut dans certains cas s'avérer indispensable pour changer les choses ; encore faut-il savoir de quel changement il s'agit, et quelle en est la finalité. Nous avons en quelque sorte le devoir d'entretenir l'indignation pour ne pas tomber dans l'indifférence ou dans un sentiment de fatalité qui nous plongerait dans l'impuissance – ce qui serait terrible pour notre dignité. Il se trouve qu'au lieu de déboucher sur une révolte virulente, qui peut donner l'impression d'avoir déjà agi, l'indignation a été pour moi un aiguillon, une force qui m'a incité à trouver de nouvelles voies pour démontrer que d'autres comportements et d'autres choix sont possibles si nous y mettons toute notre conviction.

Plus que jamais, j'appelle à l'insurrection des consciences, dont j'avais fait mon slogan électoral. Cette interpellation adressée à chacune et à chacun est probablement de mieux en mieux entendue. Elle pourrait susciter un mouvement de politique en acte, fondée sur la puissance de la modération comme antidote à la puissance du lucre. La création d'un microcosme où notre libre arbitre peut s'exercer en toute souveraineté est possible, et nécessaire au changement du monde. Nous ne pourrons nous affranchir de la tyrannie de la finance qu'en nous organisant pour ne plus en dépendre totalement. Et pour atteindre ce but, la sobriété s'avère une nécessité absolue. Il nous appartient, en la comprenant profondément, d'en faire une option heureuse, débouchant sur une vie allégée, tranquille et libre. Nous nous réjouissons de constater que de nombreuses initiatives fleurissent naturellement et partout dans la société civile pour incarner cette merveilleuse mutation. Je rencontre de plus en plus de jeunes gens qui disent vouloir réussir une vie et pas seulement une carrière, de cadres d'entreprise qui déclarent avoir réussi socialement et échoué humainement. Le questionnement se déplace donc, par rapport aux critères antérieurs, et la quête de sens semble devenir une priorité dans les engagements de vie. Certes, des aspirations fortes à une vie simple sont encore freinées par la rigidité d'institutions obsolètes et de structures qui devront nécessairement intégrer les nouvelles évolutions de la société contemporaine. Il est paradoxal que, même pour vivre sobrement sur un bout de terre, comme y aspirent de plus en plus de gens, il faille d'abord être bien pourvu financièrement. Allons-nous de plus en plus constater que vivre simplement coûte cher ? Plus que jamais, des politiques nouvelles, réalistes et attentives aux grands mouvements qui aujourd'hui se propagent et gagnent en ampleur seront nécessaires, non pour les brider – ce qui serait vain –, mais pour les accompagner. La conjoncture mondiale difficile qui les a suscitées les rendra chaque jour un peu plus universelles.

Les utopies fleurissent, heureusement, et même si toutes ne sont pas couronnées de succès, elles témoignent de résolutions fortes en faveur d'un monde autre. Cependant, il faut se méfier des effets de loupe. Il existe une masse considérable de citoyens plus ou moins confortablement installés dans le modèle ancien et qui ne peuvent imaginer qu'il puisse être remis en cause. Le temps ne semble pas encore venu où les pays dits développés pourront comprendre qu'ils ont tout intérêt à sauvegarder leurs structures sociales traditionnelles en les enrichissant des apports positifs de la modernité. Les pays dits émergents "foncent" sur le modèle ancien, y aspirent avec toute l'énergie que suscite le mythe de la réussite calqué sur un modèle qui a fait la démonstration de son échec. C'est la raison pour laquelle il faut considérer les initiatives innovantes des pays dits avancés comme autant de prototypes anticipant sur ce qui sera universellement indispensable dans un avenir dont le moins que l'on puisse dire, c'est qu'il est totalement incertain. J'ai conscience, en prônant la sobriété heureuse, de m'être "attaqué" à une problématique complexe. J'ai voulu par ce témoignage tenter de la rendre intelligible, sans aucune certitude d'y avoir réussi ; peut-être l'avenir le dira-t-il.

Quoi qu'il en soit, c'est pour ne pas me contenter de considérations générales que j'ai souhaité que des structures qui se sont incarnées en s'inspirant des valeurs et des utopies que je n'ai cessé de propager et de servir fassent part de leur témoignage créatif dans le présent ouvrage. A ces initiatives françaises en faveur d'un changement inspiré par la quête de la simplicité et de la cohérence, il faut ajouter celles que nous avons suscitées à l'étranger (Afrique noire, Maghreb, Europe de l'Est). Nous sommes très déterminés à élargir notre champ d'action, et, pour ce faire, une Fondation Pierre Rabhi pour l'agroécologie, la sécurité et la salubrité alimentaire des populations sera créée. Pour toute information concernant ces diverses structures, nous prions le lecteur de consulter notre site Colibris, mouvement pour la Terre et l'Humanisme.

ANNEXES

DES SONGES HEUREUX POUR ENSEMENCER LES SIÈCLES

Il y eut aussi des êtres humains que le discernement éveilla au respect. Ils éduquèrent leur progéniture en lui disant :

"Sachez que la création ne nous appartient pas, mais que nous en sommes les enfants. Gardez-vous de toute arrogance, car les arbres et toutes les créatures sont également enfants de la création.

Vivez avec légèreté sans jamais outrager l'eau, le souffle ou la lumière. Et si vous prélevez de la vie pour votre vie, ayez-en de la gratitude. Lorsque vous immolez un animal, sachez que c'est la vie qui se donne à la vie, et que rien ne soit dilapidé de ce don. Sachez établir la mesure de toute chose. Ne faites point de bruit inutile, ne tuez pas sans nécessité ou par divertissement.

Sachez que les arbres et le vent se délectent de la mélodie qu'ensemble ils enfantent, et que l'oiseau, porté par le souffle, est un messager du ciel autant que la terre.

Soyez très éveillés lorsque le ciel illumine vos sentiers, et, lorsque la nuit vous rassemble, ayez confiance en elle, car si vous n'avez ni haine ni ennemi, elle vous conduira sans dommage, sur ses pirogues de silence, jusqu'aux rives de l'aurore.

Que le temps et l'âge ne vous accablent pas, car ils vous préparent à d'autres naissances, et dans vos jours amoindris, si votre vie fut juste, il naîtra de nouveaux songes heureux, pour ensemencer les siècles."

CHARTE INTERNATIONALE POUR LA TERRE ET L'HUMANISME

QUELLE PLANÈTE LAISSERONS-NOUS À NOS ENFANTS ? QUELS ENFANTS LAISSERONS-NOUS À LA PLANÈTE ?

La planète Terre est à ce jour la seule oasis de vie que nous connaissons au sein d'un immense désert sidéral. En prendre soin, respecter son intégrité physique et biologique, tirer parti de ses ressources avec modération, y instaurer la paix et la solidarité entre les humains, dans le respect de toute forme de vie, est le projet le plus réaliste, le plus magnifique qui soit.

CONSTATS : LA TERRE ET L'HUMANITÉ GRAVEMENT MENACÉES

Le mythe de la croissance indéfinie

Le modèle industriel et productiviste sur lequel est fondé le monde moderne prétend appliquer l'idéologie du "toujours plus" et la quête du profit illimité sur une planète limitée. L'accès aux ressources se fait par le pillage, la compétitivité et la guerre économique entre les individus. Dépendant de la combustion énergétique et du pétrole, dont les réserves s'épuisent, ce modèle n'est pas généralisable.

Les pleins pouvoirs de l'argent
Mesure exclusive de prospérité des nations classées selon leurs PIB et PNB, l'argent a pris les pleins pouvoirs sur le destin collectif. Ainsi, tout ce qui n'a pas de parité monétaire n'a pas de valeur, et chaque individu est oblitéré socialement s'il n'a pas de revenus. Mais si l'argent peut répondre à tous les désirs, il demeure incapable d'offrir la joie, le bonheur d'exister…

Le désastre de l'agriculture chimique
L'industrialisation de l'agriculture, avec l'usage massif d'engrais chimiques, de pesticides et de semences hybrides, et la mécanisation excessive, a porté gravement atteinte à la terre nourricière et à la culture paysanne. Ne pouvant produire sans détruire, l'humanité s'expose à des famines sans précédent.

Humanitaire à défaut d'humanisme
Alors que les ressources naturelles sont aujourd'hui suffisantes pour satisfaire les besoins élémentaires de tous, pénuries et pauvreté ne cessent de s'aggraver. Faute d'avoir organisé le monde avec humanisme, sur l'équité, le partage et la solidarité, nous avons recours au palliatif de l'humanitaire. La logique du pyromane-pompier est devenue la norme.

Déconnexion entre l'humain et la nature
Majoritairement urbaine, la modernité a édifié une civilisation "hors sol", déconnectée des réalités et des cadences naturelles, ce qui ne fait qu'aggraver la condition humaine et les dommages infligés à la terre.

Au Nord comme au Sud, famine, malnutrition, maladie, exclusion, violence, mal-être, insécurité, pollution des sols, des eaux, de l'air, épuisement des ressources vitales, désertification, etc., ne cessent de croître. Ces constats interpellent très fortement nos consciences, en appellent à notre responsabilité et nous invitent à agir d'urgence pour tenter d'infléchir des évolutions qui rendent notre avenir et celui des générations futures de plus en plus incertains.

PROPOSITIONS : VIVRE ET PRENDRE SOIN DE LA VIE

Incarner l'utopie

L'utopie n'est pas la chimère mais le "non-lieu" de tous les possibles. Face aux limites et aux impasses de notre modèle d'existence, elle est une pulsion de vie, capable de rendre possible ce que nous considérons comme impossible. C'est dans les utopies d'aujourd'hui que sont les solutions de demain. La première utopie est à incarner en nous-mêmes, car la mutation sociale ne se fera pas sans le changement des humains.

La terre et l'humanisme

Nous reconnaissons en la terre, bien commun de l'humanité, l'unique garante de notre vie et de notre survie. Nous nous engageons en conscience, sous l'inspiration d'un humanisme actif, à contribuer au respect de toute forme de vie et au bien-être et à l'accomplissement de tous les êtres humains. Enfin, nous considérons la beauté, la sobriété, l'équité, la gratitude, la compassion, la solidarité comme des valeurs indispensables à la construction d'un monde viable et vivable pour tous.

La logique du vivant

Nous considérons que le modèle dominant actuel n'est pas aménageable et qu'un changement de paradigme est indispensable. Il est urgent de placer l'humain et la nature au cœur de nos préoccupations et de mettre tous nos moyens et compétences à leur service.

Le féminin au cœur du changement

La subordination du féminin à un monde masculin outrancier et violent demeure l'un des grands handicaps à l'évolution positive du genre humain. Les femmes sont plus enclines à protéger la vie qu'à la détruire. Il nous faut rendre hommage aux femmes, gardiennes de la vie, et écouter le féminin qui existe en chacun d'entre nous.

Agroécologie

De toutes les activités humaines, l'agriculture est la plus indispensable, car aucun être humain ne peut se passer de nourriture. L'agroécologie que nous préconisons comme éthique de vie et technique agricole permet aux populations de regagner leur autonomie, leur sécurité et leur salubrité alimentaires, tout en régénérant et préservant leurs patrimoines nourriciers.

Sobriété heureuse

Face au "toujours plus" indéfini qui ruine la planète au profit d'une minorité, la sobriété est un choix conscient inspiré par la raison. Elle est un art et une éthique de vie, source de satisfaction et de bien-être profond. Elle représente un positionnement politique et un acte de résistance en faveur de la terre, du partage et de l'équité.

Relocalisation de l'économie

Produire et consommer localement s'impose comme une nécessité absolue pour la sécurité des populations à l'égard de leurs besoins élémentaires et légitimes. Sans se fermer aux échanges complémentaires, les territoires deviendraient alors des berceaux autonomes valorisant et soignant leurs ressources locales. Agriculture à taille humaine, artisanat, petits commerces, etc., devraient être réhabilités afin que le maximum de citoyens puissent redevenir acteurs de l'économie.

Une autre éducation

Nous souhaitons de toute notre raison et de tout notre cœur une éducation qui ne se fonde pas sur l'angoisse de l'échec mais sur l'enthousiasme d'apprendre. Qui abolisse le "chacun pour soi" pour exalter la puissance de la solidarité et de la complémentarité. Qui mette les talents de chacun au service de tous. Une éducation qui équilibre l'ouverture de l'esprit aux connaissances abstraites avec l'intelligence des mains et la créativité concrète. Qui relie l'enfant à la nature, à laquelle il doit et devra toujours sa survie, et qui l'éveille à la beauté, et à sa responsabilité à l'égard de la vie. Car tout cela est essentiel à l'élévation de sa conscience…

> *Pour que les arbres et les plantes s'épanouissent, pour que les animaux qui s'en nourrissent prospèrent, pour que les hommes vivent, il faut que la terre soit honorée.*

PIERRE RABHI

LES AMANINS : NAISSANCE D'UN SITE ÉCOLOGIQUE, SOLIDAIRE ET PÉDAGOGIQUE*

Le projet des Amanins est né en 2003 de la rencontre entre Pierre Rabhi et Michel Valentin. Chef d'entreprise très performant, ce dernier se trouvait alors dans une phase de réflexion quant à la pertinence du modèle actuel. Pour les deux hommes, la crise actuelle dans laquelle est plongée l'humanité n'est pas une fatalité. Nous disposons encore des ressources suffisantes, des savoirs et savoir-faire, des moyens financiers et de toute la force de notre créativité pour donner une orientation positive à notre destin. Avec la création d'un centre agro-écologique, l'équipe des Amanins entend sensibiliser à une écologie pratique et quotidienne, où la relation à soi, aux autres et à la nature est mise au cœur.

Les Amanins, c'est :

Un lieu préservé de 55 hectares, situé en Val de Drôme, organisé autour d'une ferme agroécologique.

L'école du Colibri, une école différente où les enfants font directement le lien entre les savoirs et la vie concrète. Au contact de la nature, ils sont particulièrement

* Les structures présentées dans les pages qui viennent le sont par ordre alphabétique.

sensibilisés aux questions écologiques et apprennent à vivre ensemble dans la coopération.

Un site d'expérimentation, de démonstration agro-écologique et de sauvegarde de la biodiversité : énergie autogénérée (panneaux solaires, éolienne, chaudière à bois), bâtiments construits de façon totalement écologique, système de phytoépuration pour le traitement des eaux usées, etc.

Une zone de production agricole respectueuse de l'environnement et garante d'une nourriture saine. L'alimentation y est pour une grande partie produite, transformée et consommée sur place.

Un espace d'échange, de formation et de transmission des savoirs et savoir-faire qui accueille, toute l'année, des visiteurs en séjours courts ou prolongés (séjours en famille, classes de découverte, séminaires…).

Pour en savoir plus : www.lesamanins.com
Adresse :
Les Amanins, centre de séjour en agroécologie
26400 La Roche-sur-Grâne
Tél. : 04 75 43 75 05
Courriel : info@lesamanins.com

COLIBRIS : UNE PLATEFORME DE RENCONTRE ET D'ÉCHANGE

Un jour, dit la légende, il y eut un immense incendie de forêt.

Tous les animaux terrifiés, atterrés, observaient impuissants le désastre.

Seul le petit colibri s'activait, allant chercher quelques gouttes avec son bec pour les jeter sur le feu.

Après un moment, le tatou, agacé par cette agitation dérisoire, lui dit :

"Colibri ! Tu n'es pas fou ? Ce n'est pas avec ces gouttes d'eau que tu vas éteindre le feu !"

Et le colibri lui répondit : "Je le sais, mais je fais ma part."

Colibris, mouvement pour la Terre et l'Humanisme, a été lancé par Pierre Rabhi et quelques proches en 2007 pour encourager l'émergence et l'incarnation de nouveaux modèles de société fondés sur l'autonomie, l'écologie et l'humanisme. Son ambition est de participer à la construction d'une société fondée sur le bonheur d'être plutôt que sur la volonté d'avoir.

Colibris est une plateforme de rencontre et d'échange qui s'adresse à tous ceux qui veulent agir, cherchent des solutions concrètes ou développent des alternatives. Afin d'accompagner des collectifs humains dans la reprise en main de leur destinée sur leur territoire, Colibris a développé la méthode suivante.

Insurrection des consciences
Objectifs : changer de regard sur le monde, déconstruire les fondements de notre modèle et retrouver une véritable liberté de penser, d'imaginer, de créer.

Outils : films (coproduction du film de Coline Serreau *Solutions locales pour un désordre global*), livres (en partenariat avec Actes Sud), conférences, débats, interventions de terrain (120 en 2009), média, internet, stages…

Incarnation
Objectifs : se relier à des acteurs du territoire, retrouver l'envie d'agir, élaborer des solutions créatives et des plans d'action, trouver des ressources utiles à la réalisation de projets.

Outils : rencontres Colibris (15 en 2009), forums ouverts (2 en 2009) et centre de ressources (annuaires, méthodologies, experts…).

Modélisation et partage
Objectifs : bâtir des scénarios de transition crédibles à l'échelle locale, régionale, nationale à partir des expériences remarquables du terrain et de l'apport d'experts.

Outils : centre de ressources, collège d'experts, prototypes.

Colibris tâche ainsi d'être un accélérateur de transition s'appuyant sur la capacité de chacun de changer et d'incarner ce changement dans des expériences concrètes et collectives.

Pour en savoir plus : www.colibris-lemouvement.org
Adresse :
Colibris, 95, rue du Faubourg-Saint-Antoine
75011 Paris
Tél. : 01 42 15 50 17
Courriel : info@colibris-lemouvement.org

LA FERME DES ENFANTS ET LE HAMEAU DES BUIS : CONSTRUIRE L'AVENIR DANS LE RESPECT DE LA VIE

Depuis 1999, la Ferme des Enfants propose une pédagogie Montessori à la ferme pour la maternelle, le primaire et le collège. Les familles qui le souhaitent peuvent choisir une pédagogie différente pour répondre à leurs aspirations en termes d'accompagnement de l'enfant. L'école propose :

– une éducation à la vie : acquisition de savoirs et savoir-faire indispensables, connaissance de soi et développement de la conscience ;

– une éducation à la paix : pratique des conseils d'enfants, expérimentation d'un système démocratique, communication non-violente, écoute, gestion des émotions, etc. ;

– une éducation à l'écologie : découverte et connaissance du milieu naturel, de son potentiel, de sa diversité, gestion respectueuse de ressources, pratiques écologiques, tri et recyclage des déchets, etc. ;

– une éducation sociale : rencontres avec des artistes, des professionnels, des scientifiques, des voyageurs, cohabitation avec des personnes retraitées.

En 2004, l'école s'ouvre sur la société avec la création du Hameau des Buis, véritable oasis de vie et laboratoire d'expérimentations d'intérêt général. Sur un hectare de terrain constructible doté d'un mas traditionnel et six hectares de terres se crée un "lieu de vie écologique, pédagogique et intergénérationnel" qui propose :

– d'habiter autrement : dans des bâtiments respectueux du terrain et des arbres qui le peuplent, utilisant des matériaux aussi naturels que possible, d'une très haute performance énergétique, et appliquant une gestion optimisée de l'eau ;

– de consommer autrement : par le biais d'une mutualisation des moyens, matériels et outillages, d'un retour à des pratiques, savoirs et savoir-faire retrouvés, de la mise en place de réseaux de consommation biologique, éthique et équitable de proximité ;

– de se nourrir autrement : grâce à une production alimentaire issue des modes de culture agroécologiques, une activité vivrière diversifiée, une participation active au maintien de la biodiversité et la vente locale de productions agricoles ;

– de se déplacer autrement : en limitant les déplacements grâce à l'autonomie du lieu, à la pratique de la livraison groupée, à l'autopartage, etc.

Le Hameau des Buis propose des visites régulières pour l'accueil du public.

Pour en savoir plus : www.la-ferme-des-enfants.com
Adresse :
Le Hameau des Buis/La Ferme des Enfants
07230 Lablachère
Tél. : 04 75 35 09 97
Courriel : ecole@la-ferme-des-enfants.com

LE MAPIC : POUR UNE INSURRECTION DES CONSCIENCES

Le mouvement Appel pour une insurrection des consciences a été créé en 2003 à la suite de la précampagne de Pierre Rabhi à la présidentielle. Depuis 2006, c'est un mouvement de la société civile qui rassemble, au sein de comités locaux, des personnes qui s'engagent pour un changement radical remettant la nature et l'humain au centre de la vie sociale... Il est présent dans le Nord, à Besançon, Pontarlier, Dijon, Grenoble, dans le Tarn-et-Garonne, à Roanne, Nice, en Corse, mais aussi, au travers de personnes-relais, dans d'autres départements.

A l'heure où les outils de communication nous maintiennent "chacun chez soi", la vie des groupes est un lieu pour expérimenter et diffuser ce changement, en partageant nos prises de conscience et nos initiatives concrètes, en lien avec le tissu social et associatif. Notre mouvement est un carrefour de l'écologie humaine, sociale et politique. Nous voyons la complémentarité entre les démarches d'évolution personnelle, les expériences alternatives locales et les prises de position pour un nouveau modèle de société.

Pour développer une parole citoyenne forte qui émane de la base, nous nous organisons en une fédération qui cultive l'"intelligence collective". Notre fonctionnement est fondé sur l'autonomie locale, la non-violence et la recherche du consensus. Le MAPIC est partie prenante du mouvement pour la Terre et l'Humanisme lancé par Pierre Rabhi, en lien avec les autres associations partageant ces mêmes valeurs.

C'est une insurrection pacifique et déterminée qui a commencé, vous êtes nombreux à agir individuellement : pour la renforcer, relions-nous autour d'une vision globale, organisons-nous collectivement, faisons-nous entendre !

Pour en savoir plus : www.appel-consciences.info
Adresse :
MAPIC, 4, rue Jehan-de-Marville
21000 Dijon
Tél. : 03 80 41 43 25
Courriel : secretariat@appel-consciences.info

LE MOUVEMENT DES OASIS EN TOUS LIEUX : UNE PROPOSITION ALTERNATIVE DE MODE DE VIE

Né dans une oasis, Pierre Rabhi a toujours été sensible à la symbolique de ces lieux de ressourcement, nichés au cœur des déserts. C'est pour répondre à la désertification humaine, économique, morale… qu'il a lancé le Mouvement des oasis en tous lieux.

Ainsi, de nombreuses personnes se sont établies seules ou en groupe dans des lieux où elles ont tâché de reconstruire leur autonomie. D'abord en retrouvant des savoir-faire (potager, autoconstruction, etc.), mais également en recréant un lien social précieux et facilitant. De nombreuses expériences ont ainsi permis à ces pionniers d'économiser beaucoup d'argent en mutualisant certains de leurs biens, de leurs savoirs et de leurs compétences : construction collective de maisons, mutualisation de voitures pour se rendre à la gare, d'appareils ménagers (lave-linge), de jardins potagers… Ils prouvent aujourd'hui qu'il est possible de faire reposer la richesse sur autre chose que la seule capacité financière et que l'on peut bénéficier d'une grande qualité de vie grâce à un autre paradigme de société.

Le Mouvement des oasis en tous lieux est membre du réseau européen des écovillages. Il compte aujourd'hui plus de deux cents adhérents, dont douze associations et un réseau de vingt correspondants locaux. Il fédère et anime un réseau de dix écosites qui incarnent les idées-forces du Manifeste pour des oasis en tous lieux, avec un accent mis sur le recours à la terre nourricière.

Ces sites témoignent d'une grande diversité :

Dans l'oasis de Carapa (30), quelques foyers se sont regroupés en habitats écoconstruits à faible coût, où l'électricité est produite par le soleil et par l'eau grâce à une microturbine hydraulique.

Au Hameau des Buis (07), une vingtaine de foyers se sont mobilisés dans un projet intergénérationnel autour d'une école Montessori (la Ferme des Enfants) pour permettre la réalisation d'un écohameau économe en énergies, construit en biomatériaux et généreux en initiatives favorisant le lien social et humain.

L'oasis de Bellecombe (26) expérimente et promeut un habitat léger (yourtes, tipis, roulotte) permettant de se loger autrement tout en restant proche de la nature et en minimisant l'empreinte environnementale.

Le Mouvement reçoit le soutien financier de la fondation suisse Luciole.

Adresse :
Mouvement des oasis en tous lieux
BP 14, 07230 Lablachère
Tél. : 04 75 39 37 44
Courriel : oasisentouslieux@gmail.com

LE MONASTÈRE DE SOLAN : UNE UNION DE LA LITURGIE ET DU TRAVAIL DE LA TERRE

En célébrant le monde matériel comme une création et un don de Dieu, la quinzaine de moniales (de sept nationalités différentes) du monastère de Solan font partie des premiers religieux engagés dans l'écologie. Dès son arrivée dans le Gard en 1992, la communauté a décidé de ne pas "abandonner la terre", mais d'en restaurer l'harmonie et la fécondité. Le désir d'unir la liturgie de l'Eglise au travail de la terre les habitait. La rencontre avec Pierre Rabhi fut providentielle, leur ouvrant de vastes horizons et leur permettant de trouver le chemin concret pour réaliser leur dessein. Elles le mettent en pratique aujourd'hui en :

– cultivant un potager agroécologique qui leur assure l'essentiel de leur consommation de légumes, ainsi qu'à tous ceux qui viennent au monastère pour un échange ou une aide spirituelle ;

– pilotant un programme exemplaire de protection de la biodiversité du domaine ;

– vivant de la production de vin biologique (environ 30 000 bouteilles par an, dont certains crus ont acquis une belle renommée).

Cette expérience a permis la rencontre entre Pierre Rabhi et le patriarche orthodoxe de Roumanie, ainsi que la mise en route d'un vaste programme d'agroécologie dans l'ensemble des monastères du pays, afin d'alimenter en denrées de qualité plusieurs centaines de milliers de personnes.

Une expérience de "sobriété heureuse" :

> Notre vie est régie par le souci de sobriété, de vigilance. Elle suppose la tempérance et demande maîtrise de soi, autolimitation, restriction volontaire de nos habitudes de consommation d'aliments et de ressources naturelles. Ces restrictions sont la porte d'accès à la grande joie qui habite notre vie, joie qui découle de la libération – progressive, laborieuse, et toujours inachevée – de notre désir de jouissance égoïste.
>
> Dans la mesure où nous renonçons à toutes ces tendances égoïstes, nous devenons capables de percevoir l'harmonie de la création et d'éprouver de l'émerveillement devant la beauté de l'univers. Si dans le plus intime de notre être, nous sommes mus par l'amour, les bons choix nous deviennent spontanés, nous devenons des êtres unifiés. Et c'est à ce moment-là que les renoncements deviennent accès à une plénitude, et que la sobriété devient véritablement heureuse, dans toute la force du terme.
>
> Les moniales de Solan

Pour en savoir plus : www.monasteredesolan.com
Adresse :
monastère de Solan
30330 La Bastide-d'Engras
Tél. : 04 66 82 94 25

TERRE & HUMANISME : TRANSMETTRE L'AGROÉCOLOGIE ICI ET AILLEURS…

Fondée en 1994 par Pierre Rabhi, l'association Terre & Humanisme puise son nom dans l'attention portée au lien entre les hommes et la Terre-Mère, la terre nourricière. Pas d'écologie sans solidarité…

L'agroécologie est une alternative globale, conjuguant une pratique agricole et une éthique de vie. Face aux cruels constats d'une terre épuisée, elle propose des solutions naturelles pour la régénérer dans le respect du vivant, humains inclus. Elle intègre tous les aspects sociaux, sanitaires, économiques et environnementaux.

Depuis le mas de Beaulieu, lieu d'expérimentation, de démonstration et de production en Ardèche du Sud, Terre & Humanisme pratique l'agroécologie et la transmet : accueil de bénévoles, formations tous publics (potager, cuisine, apiculture…), formations d'animateurs, etc. Elle mène parallèlement des programmes à l'international, qui constituent un chapitre important de ses activités. C'est par des partenariats locaux et des formations de formateurs qu'elle accompagne les populations de villages africains vers l'autonomie et la souveraineté alimentaire.

Du point de vue écologique : entretien et régénération des sols, apport d'humus garant de leur bonne fertilité, optimisation de l'usage de l'eau, respect et sauvegarde de la biodiversité, lutte contre l'érosion et la désertification, applicable sur terre aride.

Du point de vue économique : réduction considérable des coûts de production due à l'inutilité des intrants chimiques (engrais, pesticides, etc.), nuisibles et onéreux – alternative adaptée à la précarité des moyens des pays du Sud ; relocalisation de l'économie par la valorisation des ressources locales, d'où une réduction des transports générateurs de dépendance énergétique et destructeurs des espaces naturels.

Du point de vue social : autonomie alimentaire des individus et collectivités locales tout en maintenant des échanges complémentaires, facteurs d'ouverture et de convivialité, d'où une réduction des flux migratoires et de l'émigration de la misère ; production quantitative d'une alimentation de qualité, garante de bonne santé.

Pour en savoir plus : www.terre-humanisme.org
Adresse :
Terre & Humanisme, mas de Beaulieu
BP 19, 07230 Lablachère
Tél. : 04 75 36 64 01
Courriel : infos@terre-humanisme.fr

RAYONNEMENT
ET PERSPECTIVES D'AVENIR

Nous entendons par sécurité et salubrité alimentaire celle que les communautés humaines assurent par elles-mêmes sur leur territoire, et non les aides artificielles qui mettent certains pays en situation de dépendance à l'égard d'une charité aléatoire, contraire à la dignité d'être humain, debout et responsable... Nous avons également constaté qu'une nourriture issue des pratiques agroécologiques réduit le nombre de pathologies qui affectent aujourd'hui les populations.

PIERRE RABHI

Depuis 1981, Pierre Rabhi enseigne l'agroécologie dans un certain nombre de structures nationales et, depuis la création et l'animation du centre de formation de Gorom-Gorom au Burkina Faso, en 1984, il transmet son savoir-faire dans différentes régions du monde, cherchant à redonner leur autonomie alimentaire aux populations. Depuis sa création en 1994, Terre & Humanisme France s'implique dans ces actions internationales.

Hormis celui que nécessitent les cataclysmes naturels, notre volonté est d'abolir l'humanitaire du pompier pyromane, au bénéfice d'un humanisme fondé sur le souci de l'humain et de la nature, à laquelle l'homme doit la vie et la survie. Le souci des plus démunis n'est pas déterminé par la volonté de secourir, mais par celle de répondre aux sollicitations des communautés en fonction des besoins vitaux qu'elles ont elles-mêmes définis. Il n'est donc pas question d'imposer une représentation stéréotypée de la vie et du bien-être, calquée sur un modèle occidental lui-même en difficulté. Il faut tenir compte des spécificités de chacune pour un enrichissement mutuel dans le respect des traditions, des cultures et des modes de vie.

DES PROGRAMMES INTERNATIONAUX

Depuis de nombreuses années, des programmes de transmission de savoirs et savoir-faire agroécologiques ont été entrepris avec succès au Mali, au Sénégal, en Tunisie, au Burkina Faso, au Cameroun, etc., afin d'améliorer l'autonomie alimentaire des populations, de les aider à sauvegarder leurs patrimoines nourriciers, à lutter contre la désertification et à réhabiliter les environnements naturels de manière respectueuse.

En 2005, Terre & Humanisme Maroc a été créé à la suite de la participation, quatre ans auparavant, de Pierre Rabhi à la rencontre internationale intitulée "Chemins d'alliance entre féminin d'Orient et d'Occident" organisée par l'association ESPOD. Depuis, des formations en agroécologie sont dispensées sur des sites pilotes marocains, comme celui de la ferme Jnane Lakbir à

Dar Bouazza, près de Casablanca, ou celui du village de Kermet Ben Salem, près de Meknès. La prochaine étape déterminante sera la création, en 2010-2011, du Carrefour international des initiatives agroécologiques, près de Marrakech. Ce centre d'accueil et de formation est appelé à rayonner aux échelles locale, nationale et internationale.

Dernière-née, en décembre 2009, l'association Terre & Humanisme Roumanie prévoit l'aménagement d'une première ferme expérimentale de démonstration pour des enfants, ainsi que celui d'un centre de formation en agroécologie, sur une surface agricole déjà acquise dans la région roumaine de Moldavie. C'est à la suite du succès de l'aménagement agricole et écologique des terres du monastère de Solan (dans le Sud de la France), selon les directives de Pierre Rabhi, que l'Eglise orthodoxe roumaine l'a invité à transmettre l'agroécologie dans son pays. Le patriarcat roumain, très proche de ses fidèles au travers de nombreuses implications sociales, et ce, jusque dans les régions les plus reculées du pays, dispose de quelque cinq cents monastères susceptibles de suivre le modèle agroécologique. Un grand chantier en perspective auprès de nombreux petits paysans…

VERS UN PLUS GRAND DÉPLOIEMENT DE L'AGROÉCOLOGIE À TRAVERS LE MONDE

Face au caractère aléatoire de l'énergie pétrolière, sur laquelle repose la production agricole moderne, plus que jamais, l'agroécologie est perçue par un nombre grandissant d'acteurs comme une alternative incontournable.

Le message que nous clamons et incarnons au travers des différentes structures exposées ci-dessus est de plus en plus entendu, écouté et pris en considération dans les différentes sphères qui composent notre société.

Ainsi, afin d'accompagner l'émergence d'un nouveau modèle de société fondé sur la logique du vivant et permettant d'assurer la salubrité, la sécurité et l'autonomie alimentaire des populations, l'expérience précieuse dont nous sommes porteurs doit aujourd'hui être valorisée et transmise au plus grand nombre, au Nord comme au Sud.

C'est pour répondre à ces demandes quasi exponentielles que la Fondation Pierre Rabhi verra bientôt le jour. Elle aura pour vocation de soutenir l'innovation, le déploiement et l'essaimage de modèles à taille humaine fondés sur l'agroécologie ; la sensibilisation, l'éducation et le transfert de compétences pour une agriculture pérenne, efficace et respectueuse de l'environnement. Elle coordonnera, entre autres, un corps d'agroécologistes sans frontières qui remobilisera les compétences spécifiques et performantes déjà présentes à travers le monde, notamment au Burkina Faso, au Maroc, au Mali et en Europe.

Si nous voulons assurer la pérennité et l'épanouissement de l'espèce humaine sur la planète, nous sommes appelés à construire de nouveaux modèles de société qui placent l'être humain et la nature au cœur des priorités. En tout premier lieu, cette société pérenne se doit de nourrir sainement sa population, de préserver et régénérer le milieu naturel et de recréer du lien entre les humains et la nature, avec le souci qu'impose à notre conscience, de la manière la plus rigoureuse, le sort des générations futures.

TABLE

DU MÊME AUTEUR

Du Sahara aux Cévennes ou la Reconquête du songe, itinéraire d'un homme au service de la Terre-Mère (prix Cabri d'or), Candide, 1983 ; Albin Michel, 1995 ; édition en format de poche, Albin Michel, 2002.

Le Gardien du feu : message de sagesse des peuples traditionnels, Candide, 1986 ; Albin Michel, 2003.

L'Offrande au crépuscule (prix des sciences sociales agricoles du ministère de l'Agriculture), Candide, 1988 ; L'Harmattan, 2001.

Le Recours à la terre, Terre du Ciel, 1995, 1999.

Parole de terre. Une initiation africaine (préface de Yehudi Menuhin), Albin Michel, 1996.

Graines de possibles. Regards croisés sur l'écologie (avec Nicolas Hulot), Calmann-Lévy, 2005 ; LGF n° 30553.

Conscience et Environnement. La symphonie de la vie, Le Relié, 2006, 2008, 2014.

La Part du colibri. L'espèce humaine face à son devenir, L'Aube, 2006, 2014.

Terre-Mère, homicide volontaire ? (avec Jacques-Olivier Durand), Le Navire en pleine ville, 2007.

Vivre relié à l'essentiel. Le XXIe siècle sera spirituel... ou ne sera pas !, Jouvence, 2007.

L'Homme entre terre et ciel. Nature, écologie et spiritualité, Jouvence, 2007.

Petits mondes de la forêt, Les Petites Vagues éditions, 2007.

Manifeste pour la Terre et l'Humanisme. Pour une insurrection des consciences, Actes Sud, 2008 ; Babel n° 1057.

Vers la sobriété heureuse, Actes Sud, 2010.

Pierre Rabhi, un humaniste au service de la Terre-Mère, Albin Michel, 2010.

Éloge du génie créateur de la société civile, Actes Sud, 2011 ; Babel n° 1343.

Petit cahier d'exercices de tendresse pour la Terre et l'Humain, Jouvence, 2012.
Le Manuel des jardins agroécologiques, Actes Sud, 2012.
Pierre Rabhi, semeur d'espoirs (avec Olivier Le Naire), Actes Sud, 2013 ; Babel n° 1378.
Le monde a-t-il un sens ? (avec Jean-Marie Pelt), Fayard, 2014 ; Babel n° 1431.
L'Agroécologie, une éthique de vie (avec Jacques Caplat), Actes Sud, 2015.
La Puissance de la modération, Hozhoni, 2015.
La Convergence des consciences, Le Passeur Éditeur, 2016.

BABEL

Extrait du catalogue

1134. MOUSTAFA KHALIFÉ
La Coquille

1135. JEREMY RIFKIN
Une nouvelle conscience pour un monde en crise

1136. PRALINE GAY-PARA
Récits de mon île

1137. KATARINA MAZETTI
Le Caveau de famille

1138. JÉRÔME FERRARI
Balco Atlantico

1139. EMMANUEL DONGALA
Photo de groupe au bord du fleuve

1140. INTERNATIONALE DE L'IMAGINAIRE N° 27
Le patrimoine, oui, mais quel patrimoine ?

1141. KATHRYN STOCKETT
La Couleur des sentiments

1142. MAHASWETA DEVI
Indiennes

1143. AKI SHIMAZAKI
Zakuro

1144. MAXIM LEO
Histoire d'un Allemand de l'Est

1145. JOËL DE ROSNAY
Surfer la vie

1146. VASSILI PESKOV
Des nouvelles d'Agafia, ermite dans la taïga

1147. CAMILLA GIBB
Le Miel d'Harar

1148. MARIE-SABINE ROGER
La Théorie du chien perché

1149. MARIA ERNESTAM
Les Oreilles de Buster

1150. KHALIL GIBRAN
Les Esprits rebelles

1151. SIRI HUSTVEDT
La Femme qui tremble

1152. JEANNE BENAMEUR
Les Insurrections singulières

1153. MATHIAS ÉNARD
Parle-leur de batailles, de rois et d'éléphants

1154. LAURENT GAUDÉ
Les Oliviers du Négus

1155. FRÉDÉRIQUE DEGHELT
La Nonne et le Brigand

1156. NICOLE ROLAND
Kosaburo, 1945

1157. LAURENT SAGALOVITSCH
Dade City

1158. JOUMANA HADDAD
J'ai tué Schéhérazade

1159. MAURICE AUDEBERT
Tombeau de Greta G.

1160. ÉMILIE FRÈCHE
Le Film de Jacky Cukier

1161. CAROLE ZALBERG
A défaut d'Amérique

1162. JEAN-LUC OUTERS
Le Voyage de Luca

1163. CÉCILE LADJALI
Aral

1164. JÉRÔME FERRARI
Aleph zéro

1165. YÔKO OGAWA
Cristallisation secrète

1166. JAVIER CERCAS
Anatomie d'un instant

1167. JEAN-JACQUES SCHMIDT
Le Livre de l'humour arabe

1168. BRUNO TACKELS
Walter Benjamin

1169. NICOLAS CHAUDUN
Haussmann Georges Eugène, préfet-baron de la Seine

1170. ALAA EL ASWANY
Chroniques de la révolution égyptienne

Ouvrage réalisé
par l'Atelier graphique Actes Sud.
Achevé d'imprimer
en décembre 2021
par Normandie Roto Impression s.a.s.
61250 Lonrai
sur papier fabriqué à partir de bois provenant
de forêts gérées durablement
pour le compte
des éditions Actes Sud
Le Méjan
Place Nina-Berberova
13200 Arles.

Dépôt légal
2e édition : août 2013
N° d'impression : 2106728
(Imprimé en France)